UNIVERS DES [illegible]



Sous la direction de Fernand Angué

ADAM DE LA HALLE

# LE JEU DE LA FEUILLÉE

Texte et traduction

avec une notice sur la naissance du théâtre profane, sur Adam de la Halle et la ville d'Arras au Moyen Age, une **analyse méthodique** du " Jeu ", la traduction du **Congé d'Adam** et du **Jeu du pèlerin**, des notes, des questions, des jugements

par

Jean RONY

Agrégé de l'Université

Assistant de langue et littérature médiévales

à la Faculté des Lettres et Sciences humaines de Tours



Bordas

Ph. © I. Bandy

« Adam de la Halle »
dit Adam le Bossu

Miniature d'un manuscrit du XIVe siècle



I.S.B.N. 2-04-003462-5 (2-04-008461-4 1re publ.)

# LE « JEU DE LA FEUILLÉE »

## 1. Naissance du théâtre profane

Les grands genres littéraires du Moyen Age ne doivent pratiquement rien à l'antiquité. Ni la chanson de geste, ni le roman ne répondent à des modèles grecs ou latins. De même le théâtre, surtout peut-être le théâtre dans la mesure où, les enseignements de l'antiquité classique s'étant perdus, il eut en outre à compter avec l'intolérance du christianisme à son égard, intolérance partielle puisqu'elle ne s'exerçait qu'à l'endroit du théâtre profane.

La naissance d'un théâtre dans la France médiévale est à mettre en rapport avec trois faits :

Le premier, formel : la littérature médiévale est, pour l'essentiel, de diffusion orale, au moins jusqu'au XIIIe siècle. C'est dire qu'elle fut écrite pour être dite. Jamais l'écrivain ne perd de vue cette exigence. Plus exactement il intègre pleinement cette exigence à sa création. D'où, tout naturellement, le recours fréquent à des procédés d'animation oraux et gestuels. Une chanson de geste, un roman étaient « représentés » par un acteur unique : le jongleur (cela ne nous renvoie-t-il pas aux origines pré-eschyliennes du théâtre grec?). Les jongleurs se distinguaient entre eux, brillaient plus ou moins, par des qualités d'hommes de théâtre : le sens de la mimique, la variété des intonations, l'art du geste. M. Frappier a pu écrire à ce sujet : « Le théâtre est comme latent dans les chansons de geste, les romans, les fabliaux. » L'épanouissement du théâtre profane au Moyen Age suit d'un bon siècle celui des genres littéraires que nous venons de nommer, on peut donc admettre qu'il s'effectue sur un terrain techniquement préparé [1].

Le deuxième de ces faits est, lui aussi, formel : un théâtre religieux, issu des couvents et des ordres monastiques, en latin d'abord, puis en langue vulgaire, existait depuis le haut Moyen Age. A l'origine, il ne dépasse pas la mise en scène à peu près littérale d'épisodes tirés des Évangiles, et il s'inscrit étroitement dans une liturgie conçue elle aussi comme un spectacle. Puis un

---

1. Une réserve ici : les premiers comédiens de notre scène n'étaient pas des acteurs professionnels; ils se distinguaient ainsi des jongleurs : ce n'est donc pas dans le milieu professionnel des jongleurs que naît le théâtre médiéval.

élément profane, comique même, le pénètre, à la suite sans doute d'un changement de public (ce qui nous renvoie au troisième fait dont nous allons faire état). Dans *le Jeu*[1] *de saint Nicolas* (1200), dans *Courtois d'Arras* (début du XIIIe siècle), le lieu scénique principal est une taverne. C'est en dire assez sur les distances déjà prises à l'égard du drame liturgique. On ne peut assurer pour autant que notre théâtre profane dérive en ligne directe du théâtre religieux, mais il lui emprunte certainement beaucoup; un exemple : le procédé mnémonique qui consiste à faire chevaucher les rimes sur le dernier vers d'une réplique et sur le premier vers de la réplique suivante — procédé constant chez Adam de la Halle comme chez l'auteur anonyme de *la Farce de maître Pathelin*, deux siècles plus tard — apparaît d'abord chez les auteurs de pièces religieuses.

Un troisième fait, historique : le développement des villes. Le théâtre est fils de la cité; il n'a de fonction que par elle; seule la cité le rend pratiquement possible. C'est sur le terrain des confréries urbaines que naissent les premières troupes du théâtre, et *celles-ci sont formées d'amateurs*. Dans ce théâtre, tout vient de la ville, tout y retourne, rien ne se fait que par elle. Le XIIe et surtout le XIIIe siècle sont les grands siècles de développement urbain dans la France médiévale. Mais il y a ville et ville. Dans le nord de la France et en Flandre s'accroissent et prospèrent de véritables villes industrielles, dont la population est divisée en classes antagonistes, et qui connaissent tous les problèmes liés à l'expansion économique, aux conflits sociaux. C'est dans ces villes-là, et non point dans les vieilles cités, que naît notre théâtre profane. C'était déjà là que le théâtre religieux avait commencé à s'enrichir d'éléments comiques. De tout notre répertoire du XIIIe siècle — et le tour en est bientôt fait —, seul *le Dit de l'herberie* de Rutebœuf est l'œuvre d'un poète champenois et parisien. Arrageois sont les auteurs du *Jeu de saint Nicolas*, du *Jeu de la feuillée*, du *Jeu de Robin et Marion*. *Courtois d'Arras* est une œuvre picarde, *le Garçon et l'Aveugle* nous vient de Tournai, dans le Hainaut. Parlera-t-on d'une prédisposition régionale au comique? De fait, il y a dans ces provinces du Nord, Picardie, Wallonie, Flandre, un goût pour la truculence, la moquerie parfois épaisse, le rire, dont les arts plastiques eux-mêmes portent la marque.

---

1. *Jeu :* terme générique que l'on voit figurer devant les titres de pièces de théâtre religieuses ou profanes et que la critique moderne applique à d'autres œuvres écrites pour la scène, qui ne le portent pas expressément (*Courtois d'Arras*, par exemple).

*Le Jeu de la feuillée* est la première pièce de théâtre profane de notre répertoire. Relativement tardive [1] (1276, 1277, sans doute), elle nous éclaire sur la difficile genèse du genre qui naît avec elle. On verra que ce caractère profane n'épuise pas son originalité et qu'elle est une brutale laïcisation du théâtre religieux.

## 2. « Le Jeu de la feuillée » : pourquoi ce titre?

Le titre porté en tête des manuscrits n'est point celui de *Jeu de la feuillée* mais celui de *li Jus Adan* ou *le Jeu d'Adam*. On comprend aisément pourquoi : Adam de la Halle, auteur de la pièce, s'est mis lui-même en scène dans son œuvre, et il y tient le rôle le plus important. Mais il existe un autre *Jeu d'Adam*, drame liturgique, et c'est sans doute pour éviter la confusion avec celui-ci que l'on a donné comme titre à notre pièce la deuxième partie d'une inscription qui se trouve à la fin du manuscrit : *explicit li jus de la fuellie*, « fin du jeu de la feuillée ». Pourquoi la *feuillée?*

A Arras, le printemps venu, à l'occasion du 1er mai, des fêtes de la Pentecôte ou de la Saint-Jean, on donnait des spectacles en plein air, sur des estrades aménagées, des sortes de tonnelles recouvertes de feuillage. Tel est bien le sens du mot *feuillée :* « abri que forme le branchage des arbres », « cabane de feuillage ». C'est aussi sous un tel abri que l'on déposait la châsse de Notre-Dame offerte à la dévotion des fidèles sur une place publique. En apparence donc, le titre du *Jeu de la feuillée* ne fait pas difficulté. Mais on s'est avisé de ce que la graphie *fuellie*, graphie picarde pour *fuelliée*, alternait parfois avec *follye*, forme homonymique de « folie », synonyme de « démence ». Et M. Henri Roussel, dans un article important de la *Revue des sciences humaines* (1957, p. 280-281), suggère : « Il est bien possible qu'à l'origine le vrai titre ait été *li Jeus de la folie* ou à tout le moins que l'on ait joué sur cette homophonie [2]. » En effet, le thème constant du *Jeu* est celui de la perte de la conscience de

1. Ne peut-on envisager que de nombreuses œuvres se soient perdues? Écrites pour une représentation, surchargées d'allusions à des faits d'histoire locale, on n'éprouvait peut-être pas le besoin de les transcrire sur des parchemins résistants. Songeons que nous disposons d'un seul manuscrit intégral du *Jeu de la feuillée*, œuvre d'un auteur connu cependant avant d'avoir écrit pour le théâtre. — 2. Homophonie sensible dans le mot « folie » entendu au sens de « maison de plaisance », et dont l'origine remonte à *feuillée*, mais qui a été rattaché à *folie*, lieu où l'on fait des folies, par l'étymologie populaire.

soi, ou bien dans le ravissement de l'amour, ou dans l'ivresse, ou dans la démence. Et le personnage du Dervé est, à cet égard, bien davantage que l'occasion d'un comique facile.

On ne sait rien des conditions dans lesquelles *le Jeu de la feuillée* a été représenté, ni de la fortune théâtrale qui a pu être la sienne. On peut penser qu'il a été écrit pour une seule représentation. En effet, la plupart des personnages ont réellement existé et figuraient dans la pièce sous leur propre nom (sans doute aussi avec leur propre caractère, outré et caricaturé). De plus, les allusions à des faits d'histoire locale récents sont répandus dans l'œuvre avec une abondance qui rappelle nos éphémères revues de cabaret, (voir, p. 177, les *Éléments pour une mise en scène du « Jeu »*).

Du reste, sur les trois manuscrits que nous possédons du *Jeu de la feuillée*, un seul est complet. Les deux autres donnent seulement le début de la pièce (vers 1 à 170 et vers 1 à 174), c'est-à-dire la partie dont l'intérêt ne réside pas dans l'actualité et que l'on peut comprendre sans un accablant appareil critique. On admet généralement que *le Jeu de la feuillée* a été écrit pour une « compagnie » comme il en pullulait à Arras au XIIIe siècle et qui groupait les membres d'une même corporation ou simplement des voisins et des amis : il en est question au vers 947. Nous pouvons donc ainsi déterminer le public *du Jeu de la feuillée*, et par là même les acteurs puisque certains personnages sont à la fois acteurs et spectateurs [1], sans qu'il soit jamais possible de jeter une barrière entre les deux catégories. Il est vraisemblable cependant que tous les rôles, même ceux des fées, étaient tenus par des hommes; on ajoute à cela parfois que nulle femme n'assistait à la représentation.

La date du *Jeu de la feuillée* a donné lieu à bien des controverses érudites qui n'ont pas tout à fait cessé. La dernière date proposée par Ernest Langlois, « probablement en 1276, au plus tard en 1277 », est celle qui se soutient par les arguments les plus sérieux. De toute façon la « fourchette » entre les dates possibles va de 1255 à 1277. En ce qui concerne la période de l'année où fut joué le *Jeu*, il est possible d'être plus affirmatif : « L'action se passe à Arras, une nuit où les fées sont attendues, à une époque de l'année où les conséquences d'une faute commise par une femme, un peu avant le carême, commencent à devenir apparentes. On peut penser à la date du 1er mai, à celle de la Pentecôte, ou mieux encore, à celle de la Saint-Jean

1. Voir les vers 284-285.

d'été, 24 juin, la plus imprégnée encore des cultes de la nature » (Gustave Cohen, *le Théâtre en France au Moyen Age*).

## 3. Adam de la Halle

L'attribution du *Jeu de la feuillée* à Adam de la Halle a été contestée mais il a fallu reconnaître, avec Edmond Farral, qu'il n'existait pas de raisons décisives pour l'écarter. Expression prudente ou conviction mal assurée? Assez récemment M^me^ Ungureanu *(Société et Littérature bourgeoise d'Arras aux XII^e^ et XIII^e^ siècles*, 1955) a repris les arguments déjà anciens contre cette attribution : une récapitulation des œuvres d'Adam de la Halle, faite peu de temps après sa mort, ne mentionne pas le *Jeu;* d'autre part, il est peu vraisemblable qu'Adam de la Halle soit l'auteur d'une œuvre où ses proches, Maroie sa femme et maître Henri son père, sont assez malmenés. Le deuxième argument relève d'une bienséance assez étrangère à la bourgeoisie médiévale, et le premier n'a sans doute pas l'importance qu'il paraît : en effet, les manuscrits conservés du *Jeu* font mention de son auteur, maître Adam. Pourtant M^me^ Ungureanu nous paraît bien inspirée quand elle s'en prend à la reconstitution d'une biographie d'Adam de la Halle faite à la manière de celles consacrées aux écrivains classiques, par exemple. Reconnaissons avec elle que, pour l'essentiel, on a tiré du *Jeu* seul[1] les renseignements relatifs à la vie d'Adam de la Halle, attribuant à cette œuvre un caractère autobiographique assez singulier au XIII^e^ siècle. C'est le travers dans lequel était tombé Henri Guy, à la fin du siècle dernier, dans la première partie, intitulée « Vie d'Adam de la Halle », de la thèse monumentale qu'il soutint sur le trouvère arrageois. Se détournant des recherches biographiques, pour lesquelles manquent les documents, M^me^ Ungureanu s'est attachée à la personnalité sociale de l'auteur du *Jeu*, c'est-à-dire au milieu pour lequel l'œuvre a été écrite et dont elle est issue. Mais, s'agissant du créateur de notre théâtre profane et d'une œuvre, *le Jeu de la feuillée*, où l'on a pu voir, comme réunies en faisceau, toutes sortes de déterminations personnelles, on ne peut se débarrasser ainsi des recherches biographiques.

Adam de la Halle, ou Adam le Bossu, est né vraisemblablement vers le milieu du XIII^e^ siècle. De nombreux documents attestent son activité littéraire à Arras. Fils d'un employé de l'échevinage (si nous en croyons le *Jeu*), il fut un écrivain professionnel.

1. Et aussi d'un dialogue anonyme écrit après la mort d'Adam de la Halle, *le Jeu du pèlerin*, dont nous donnons une traduction p. 161.

Un écrivain professionnel, en ce temps, ne vivait pas de la vente de ses livres mais de prix et de récompenses accordés par des donateurs. C'est dire que l'écrivain était soumis au mécénat exercé par les grands.

Premier fait important à retenir : Adam de la Halle naît dans une famille modeste, et aucune fortune héritée ne vient assurer son indépendance. La famille appartient cependant à la « clergie », plus précisément à la petite bourgeoisie intellectuelle. Le père d'Adam, commis à l'échevinat, c'est-à-dire employé de mairie (il n'y a pas lieu de récuser le témoignage du *Jeu* là-dessus), a pu mettre son fils en relation avec les patriciens d'Arras qui dominent l'échevinat et sont volontiers mécènes. *Le Congé*, autre œuvre d'Adam de la Halle précieuse pour sa biographie, nous apprend que deux riches bourgeois d'Arras, les deux frères Lenormant, subvinrent à son éducation (voir p. 157, vers 88-89). De l'un de ces frères nous savons quels étaient les biens. Pour quelle raison cette famille s'est-elle intéressée à Adam dès son enfance, c'est-à-dire avant qu'il ait manifesté des dons de poète? Il ne s'agit pas là de mécénat mais de bienfaisance. Reconnaissons que les deux vers du *Jeu de la feuillée* sur lesquels on se fonde pour affirmer que le jeune Adam fit un séjour prolongé à l'abbaye cistercienne de Vaucelles nous paraissent un fragile indice. Henri Guy, qui croyait dur comme fer à ce séjour, a écrit : « On désirerait avoir des détails sur son séjour à Vaucelles, mais son passage n'a point laissé de traces. »

Cependant, les œuvres d'Adam de la Halle et les allusions faites au poète dans d'autres œuvres contemporaines nous permettent de dresser le portrait d'un trouvère cultivé, qui dépassait nettement le niveau moyen des chansonniers de l'Artois. « On lui avait enseigné la musique, qui sollicitait particulièrement l'attention du clergé régulier, les éléments de la théologie, un peu de grammaire. Il vénérait par tradition l'antiquité classique, et surtout celui qui, à ses yeux, la représentait presque entière, Aristote, l'homme *souffisans*, *vaillans en renommée*, *en scienche*, *en bontés* (*Jeu-parti*, IX, str. 2). Les gracieuses images de la mythologie l'avaient frappé, et, dans le milieu même des chansonniers artésiens, qui jamais ne puisèrent à cette source d'inspiration, il lui arriva d'emprunter aux Grecs leurs fictions. Bref, il passait pour un clerc *net et soustieu*, pour un garçon bien lettré » (Henri Guy). Il faut donc distinguer Adam de la Halle du commun des trouvères arrageois, ses contemporains. Sa place dans l'histoire de la musique française nous y invite : « ...par son intelligence toujours en éveil, par son souci en toutes choses, chaque fois que les convenances sociales ne le bridaient pas, d'utiliser de façon neuve les éléments que lui offrait la tradition, il inaugure la lignée des maîtres de la musique [...]. Adam d'Arras est le premier maître de l'histoire musicale que nous puissions voir vivre de chair et d'os, dans la robuste vigueur de sa saine bonne humeur, et en qui nous puissions suivre pas à pas les recherches et les trouvailles qui peu à peu font le génie » (Jacques Chailley, *Histoire musicale du Moyen Age*, p. 215). Esprit distingué donc, Adam de la Halle devait se sentir à l'étroit dans sa ville natale, malgré la renommée qu'elle devait aux arts d'agrément. Paris attirait notre poète, épris d'étude et de savoir. Il n'y a sans doute pas lieu, à cet égard, de contester les données autobiographiques du *Jeu de la feuillée.* Le thème du départ pour Paris y revient comme une obsession révélatrice. Quels obstacles retinrent longtemps Adam parmi les siens (et fit-il même ce voyage rêvé)? Un mariage précoce, des difficultés matérielles? Nous n'en savons là-dessus guère plus que ce que nous apprend *le Jeu de la feuillée :* n'anticipons point ici sur l'explication de tout ce que le texte peut contenir d'utile pour la biographie d'Adam.

Quelle fut sa vie à Arras? Nous devons l'imaginer à partir de ce que nous savons de la grande ville artésienne et de la vie des trouvères professionnels au XIII^e^ siècle. Vie besogneuse, vie difficile : les œuvres ne manquent pas où les poètes d'alors se plaignent de leur pauvreté. Il s'agit de « placer » ici et là (mais toujours auprès des grands de la ville) des œuvres de circonstance, à l'occasion d'un mariage ou d'un décès, ou d'emporter un prix à un concours organisé par une des sociétés littéraires. A Arras, tout le monde se connaît : le nom d'Adam de la Halle apparaît assez souvent dans les vers de ceux qui furent ses collègues pour que l'on se refuse à croire que cette existence ait été réellement la sienne.

Entre le trouvère salarié à façon et la haute bourgeoisie de sa ville se nouaient des liens de dépendance qu'il ne faut pas méconnaître. Combien d'éloges alimentaires, d'hyperboles serviles n'ont-ils pas été inspirés par ce rapport particulier du poète à son public? Mais à ce rapport particulier ne se réduit pas la condition du trouvère : il est un homme dans la cité. Et quelle cité qu'Arras au XIII^e^ siècle! Un esprit éclairé comme Adam de la Halle ne pouvait rester étranger aux luttes sociales et politiques qui troublèrent et parfois ensanglantèrent Arras dans la deuxième moitié de son siècle. Nous n'avons là-dessus encore, comme témoignage, que *le Jeu de la feuillée* et un écrit controversé d'Adam quelques années plus tard. Mais, nous le verrons, *le Jeu de la feuillée* n'est point innocent, et ce n'est guère que par anachronisme que l'on peut y voir une revue légère où l'on égratigne les puissants du jour, à la façon de nos chansonniers. Ainsi se dessine la physionomie d'un clerc, poète professionnel, intéressé à tout ce qui se passe d'important dans sa ville, et se situant par le *Jeu de la feuillée* comme l'intellectuel d'un groupe social en porte-à-faux, puisque menacé par le patriciat sans être soutenu par le petit peuple, peu soucieux de défendre les privilèges de la clergie. Jehan Mados, neveu d'Adam, nous dit, dans l'éloge funèbre qu'il fit de celui-ci, qu'il était « cremus », c'est-à-dire craint, à Arras. Cette notation ne s'invente pas. Adam l'aurait-il méritée s'il n'avait été qu'un plat poète de Cour ou un amuseur professionnel?

Adam de la Halle connut-il l'exil? Si exil il y a eu, ce fut peut-être l'occasion de ce *Congé*, si précieux à confronter avec le *Jeu* pour la connaissance du poète; exil auquel mit fin une mesure d'amnistie générale. On admet ordinairement que cette mesure fut la conséquence de la disgrâce subie par d'anciens protecteurs d'Adam. Raison de plus pour celui-ci, mûrissant, de songer à se fixer. Il délaisse la relative indépendance du poète payé à façon, et s'attache à la personne d'un prince. Nous retrouvons alors Adam de la Halle ménestrel à la Cour de Robert, comte d'Artois, suzerain d'Arras; puis serviteur de Charles d'Anjou. Avec eux le trouvère s'éloignera de sa ville natale, d'où sans doute l'inspiration fraîche et aimable du *Jeu de Robin et Marion*, œuvre composée alors. « De tous les écrits du clerc d'Arras, le *Jeu de Robin* est le seul où l'on ne trouve pas un mot de satire. Pour cette fois le censeur oublie les vices qu'il a si souvent flétris, les abus contre lesquels il protestait d'ordinaire » (Henri Guy).

A la suite de Charles d'Anjou, Adam de la Halle dut parcourir le sud de la France et l'Italie. Peut-être a-t-il été le témoin des événements sanglants qui marquèrent le règne de Charles d'Anjou, en Sicile. Il n'en passe rien dans son œuvre, et l'on a considéré pour cela la *Chanson du roi de Sezile* comme un plat panégyrique, du reste inachevé, du frère de Saint Louis. Ainsi l'œuvre d'Adam de la Halle trouve sa conclusion dans une chanson de geste inspirée par le protecteur du poète. Henri Guy voit dans cette chanson l'expression « d'une gratitude profonde durable, et que n'étouffèrent ni les revers ni le trépas du bienfaiteur ». Acceptons cette dernière image d'Adam de la Halle. Il devait mourir vers 1286-1287, sans avoir atteint la cinquantaine [1]. Sa ville natale le célèbre alors avec un faste inusité. Si elle ne lui avait pas été tendre de son vivant, elle n'attendi

1. Si l'on adopte la date de 1276-1277 pour le *Jeu* et celle de 1286-1287 pour le décès d'Adam de la Halle, il faut admettre que celui-ci ne dépassa pas l'âge de trente-cinq ans. En effet, tout invite à considérer *le Jeu de la feuillée* comme l'œuvre d'un homme de vingt à vingt-cinq ans.

guère pour voir quelle gloire rejaillirait sur elle d'une œuvre aussi importante. Et ainsi, à la fin de cette esquisse biographique d'Adam de la Halle, nous retrouvons Arras.

## 4. Arras au Moyen Age

Si la naissance d'un théâtre profane en France, à partir d'un théâtre religieux déjà traversé de part en part d'éléments empruntés à la vie quotidienne, peut être considérée comme un miracle arrageois, c'est qu'Arras fournit bien plus à l'histoire de notre théâtre qu'une contingente mention de lieu.

Arras était la capitale de l'Artois, « le centre du luxe et des plaisirs : les tournois, les joutes, les cours plénières, toutes les fêtes d'armes et d'amour s'y succédaient. C'était pour les trouvères un vrai lieu de délices » (Monmerqué et Michel, *Théâtre français du Moyen Age*, 1839).

Une chanson d'auteur inconnu imagine Dieu le père descendant dans la ville d'Arras pour y apprendre à faire des chansons. Il s'agit là d'autre chose que de chauvinisme local. Cette prééminence d'Arras dans les lettres au XIIIe siècle était généralement reconnue. Seul, Paris brillait d'un plus grand éclat. Toute proportion gardée, Arras était à Paris ce que Florence, au XVe siècle, pouvait être à Rome.

A quoi tenait cette situation? Au développement de l'industrie textile (comme à Florence précisément) et à la maturité des rapports sociaux et politiques. A Arras se constitue une bourgeoisie libérée très tôt des entraves féodales. Elle se donne une forme d'administration correspondant à sa puissance. Vers 1180, elle obtient une charte de Commune qui servira de modèle à celle des autres villes du Nord. Son indépendance à l'égard des féodaux laïcs et ecclésiastiques est garantie. L'essor économique de la ville devient impétueux : elle se livre au grand commerce international, regarde plutôt vers l'Angleterre et les Flandres que vers les foires de l'intérieur. Les capitaux s'accumulent, et les industriels d'Arras peuvent se livrer au commerce de l'argent; ils prêtent aux puissances politiques : le comte d'Artois, suzerain de la province, le roi de France lui-même.

Alors les rapports sociaux se diversifient : les plus grandes familles, dont la fortune est assise sur le commerce international et la banque, vivent « noblement ». Elles constituent une aristocratie bourgeoise qui noue des relations avec l'aristocratie féodale. Elles dominent la cité grâce à l'échevinat, sorte de conseil municipal dont les membres se cooptent à l'intérieur de ce milieu restreint des patriciens. On ne s'étonnera pas de voir fleurir à Arras tous les genres rattachés à la littérature d'inspiration aristocratique : la lyrique courtoise en particulier. Des sociétés littéraires (tel le *Pui*) encouragent les poètes qui, par ailleurs, peuvent compter souvent sur le mécénat des grands. La richesse publique, même si elle est concentrée en quelques mains, permet le financement d'activités de luxe telles que la poésie et les divers arts d'agrément.

Mais tout ne va pas pour le mieux entre les patriciens d'Arras et le reste de la population. La politique de l'échevinat tend à renforcer la puissance économique des grandes familles. Dans les classes moyennes règne un mécontentement permanent dû à une fiscalité trop lourde et au taux des prêts consentis par les établissements financiers. La petite bourgeoisie intellectuelle — les clercs — s'agite particulièrement. Ainsi se développe une littérature critique, antipatricienne, souvent anonyme, parfois signée d'auteurs écrivant à l'occasion ou régulièrement pour les patriciens; ce qui tendrait à prouver qu'entre les classes dirigeantes et les intellectuels régnait un malaise. Quant au petit peuple des ouvriers, au sens moderne du mot, employés dans les grandes fabriques, des artisans exerçant des métiers considérés comme infâmes (les teinturiers par exemple), il fut, tout au long du XIIIe siècle, secoué par des vagues insurrectionnelles dont la répression était souvent sanglante. Car la haute bourgeoisie arrageoise disposait de solides moyens pour assurer l'ordre; la justice et son appareil coercitif étaient entre ses mains. D'innombrables lettres adressées au comte d'Artois dénoncent la partialité de la justice échevinale. Le mécontentement sera tel qu'il imposera, au début du XIVe siècle, un certain élargissement de l'échevinat. Élargissement sans lendemain car les conflits sociaux reprendront et contribueront au déclin de la ville à la fin du Moyen Age.
Le XIIIe siècle est donc celui de l'apogée d'Arras, mais une apogée assombrie par des contradictions internes, des inquiétudes, des rancœurs dont la littérature se fait l'écho.

## 5. La composition du « Jeu de la feuillée »

C'est une gageure que de vouloir la reconstituer. Nous n'avons point affaire à une succession de scènes liées entre elles par le développement d'une intrigue, mais à une suite d'épisodes et de tableaux. D'un épisode à un autre, on passe généralement à l'aide d'un mot ou d'un fait accidentel tel que l'entrée en scène d'un personnage. Cependant la délimitation de ces épisodes présente un intérêt réel pour la connaissance de la pièce. Plusieurs auteurs se sont essayés à ce découpage et leurs résultats se rejoignent assez bien.

Henri Guy distinguait **trois grandes parties :**

I (vers 1 à 185) Début hors du cadre principal : **Le mariage d'Adam.**

II (vers 186 à 873) Partie centrale ou vraie pièce : **La satire.** Le médecin, le moine, le dervé, la féerie.

III (vers 874 à 1096) Fin hors du cadre principal : **La taverne.**

Une analyse plus détaillée permet de dégager **25 épisodes :**

vers 1 à 8 : Adam annonce son départ pour Paris;
vers 9 à 33 : le projet est accueilli avec scepticisme par les amis du poète;
vers 34 à 50 : l'obstacle principal, Maroie, épouse d'Adam;
vers 51 à 80 : Adam conte la naissance de son amour pour Maroie et le début de sa désillusion;
vers 81 à 174 : le double portrait de Maroie, hier et aujourd'hui, ou les illusions de l'amour;
vers 175 à 199 : autre obstacle au projet d'Adam, le manque d'argent;
vers 200 à 227 : le médecin, satire des avares;
vers 228 à 245 : le médecin, satire des gloutons;
vers 246 à 291 : le médecin, la grossesse de Dame Douche;
vers 292 à 321 : satire des femmes;
vers 322 à 389 : le moine, satire des fous à Arras;
vers 390 à 427 : le moine, épisode du dervé et satire de Robert Sommeillon;
vers 428 à 513 : l'affaire des clercs bigames;
vers 514 à 555 : le moine, le dervé et son père;
vers 556 à 589 : Riquier Auris et Adam préparent la réception des fées;
vers 590 à 613 : dialogue entre Croquesot et Riquier Auris;
vers 614 à 703 : les fées, Maglore humiliée, et les dons des fées à leurs hôtes;
vers 704 à 767 : les fées, les amours de Morgue, et satire de Robert Sommeillon;
vers 768 à 836 : les fées, la roue de fortune, et satire des puissants d'Arras;
vers 837 à 875 : les fées, le départ des fées sous la conduite de Dame Douche;
vers 876 à 903 : le moine et Hane s'acheminent vers la taverne;
vers 904 à 962 : scène de genre dans la taverne;
vers 963 à 1016 : le moine dupé et les reliques laissées en gage;

vers 1017 à 1070 : le sermon bouffon sur les reliques;
le moine, le dervé et son père;
le moine récupère les reliques;
vers 1071 à 1099 : la « compagnie » s'en va;
le dervé et son père s'en vont;
le moine s'en va.

Cette analyse suggère quelques remarques :

*a*) l'épisode assez didactique des clercs bigames (vers 428 à 513) est encadré de deux épisodes assez animés et vifs du fait de la présence du dervé;

*b*) l'épisode des fées est l'épisode central : la satire y occupe la place la plus importante;

*c*) le trio, formé du moine, du fou et de son père, est présent avant et après l'épisode des fées.

Bibl. de Troyes, © Giraudon

Cours de théologie en Sorbonne

*...et pour étudier, je cours à Paris.* (v. 181)

# BIBLIOGRAPHIE

Ernest Langlois : *Adam le Bossu, trouvère artésien du XIII^e siècle, « le Jeu de la feuillée »*, 2^e édition revue en 1923, réimprimée en 1964, Classiques français du Moyen Age, Paris.

Les éditions faites au XIX^e siècle, soit par Montmerqué et Michel *(Théâtre français du Moyen Age)*, soit par E. de Coussemaker *(Œuvres complètes du trouvère Adam de la Halle)*, sont maintenant dépassées.

Sur le théâtre au Moyen Age on lira avec profit *le Théâtre en France au Moyen Age*, de Gustave Cohen, deux volumes aux éditions Rieder; mais l'ouvrage d'étude indispensable est *le Théâtre profane en France au Moyen Age, XIII^e et XIV^e siècles*, de M. Jean Frappier ((Les Cours de Sorbonne, C. D. U.). Notre édition lui doit beaucoup.

Sur Adam de la Halle, la thèse monumentale d'Henri Guy : *Essai sur la vie et les œuvres littéraires du trouvère Adam de la Halle*, Paris 1898, est encore très utile. Son étude doit être complétée par celle de la thèse de Marie Unguréanu : *Société et Littérature bourgeoises d'Arras aux XII^e et XIII^e siècles*, Arras 1955, et de : *Sens et Composition du « Jeu de la feuillée »* par Alfred Adler et Ann Arbor, the University of Michigan Press, 1956.

Il existe deux traductions du *Jeu de la feuillée :* celle d'Ernest Langlois, éditions de Boccard (publiée conjointement à la traduction du *Jeu de Robin et Marion*), et celle de J. Frappier et A. M. Gossart, *le Théâtre comique au Moyen Age*, Classiques Larousse.

# TABLEAU HISTORIQUE

| Vie politique | Civilisation | Idéologie | Arts, musique, littérature |
|---|---|---|---|
| 1248 - 1254 Septième Croisade. | 1220-1250 La distinction entre les classes sociales s'accentue. Le travail libre se substitue peu à peu au servage en Occident. | 1225-1274 Avec les *Sommes*. de Saint Thomas d'Aquin, la scolastique prend sa forme définitive. | 1247-1272 Cathédrale de Beauvais. Apogée de l'art gothique. |
| 1266 Le pape remet la Sicile à Charles d'Anjou. | Dès 1250 Troubles sociaux et économiques. Progrès du commerce de l'argent. | 1214-1294 Le franciscain Roger Bacon et la science expérimentale. | 1267-1337 Giotto. |
| 1270 Huitième Croisade et mort de Saint Louis. | 1275 Crise économique générale dont sont victimes les foires de Champagne. | 1258-1274 La Sorbonne organisée par Roger de Sorbon. | Vers 1250 Création du théâtre comique. |
| 1270-1285 Philippe III le Hardi, roi de France. | Vers 1280 Roger Bacon remplace la méthode scolastique par la méthode expérimentale. | | Vers 1276-77 Adam de la Halle, *le Jeu de la feuillée*. |
| 1282 Les Vêpres siciliennes. Les Anjou chassés de Sicile. | | | Vers 1283 Adam de la Halle, *le Jeu de Robin et Marion* (pastourelle dramatique). |
| | | | 1230-1285 (?) Rutebœuf. *Le Miracle de Théophile*. *Le Dit de l'herberie*. Poésies. |
| | | | Vers 1276 *Le Roman de la Rose* (2e partie) par Jean de Meung. |
| | | | 1229-1319 Joinville, chroniqueur. |
| | | | 1262-1321 Dante Alighieri, *La Divine Comédie*. |

# LES PERSONNAGES [1]

| | |
|---|---|
| MAISTRE ADANS. | Maître Adam (1). |
| MAISTRE HENRIS ou HENRIS DE LE HALE. | Maître Henri ou Henri de la Halle, père d'Adam (182). |
| RIKECHE ou RIKIERS AURIS. | Riquier Auris, Riquier (12). |
| HANE LI MERCHIERS. | Hane le mercier (18). |
| GILLOS LI PETIS. | Gillot le petit (34). |
| RAOUL, LI OSTES. | Ravelet, l'hôte = tavernier (905). |
| LI FISISIENS. | Le médecin (200). |
| RAINELÈS. | Rainelet (266). |
| DAME DOUCHE. | La grosse dame (246). |
| WALÈS. | Walet (342). |
| LI MOINES. | Le moine (322). |
| LI DERVÉS. | Le dervé = le fou (392). |
| LI PERES AU DERVÉ. | Le père du fou (390). |
| CROKESOS. | Croquesot, le messager (590). |
| MORGUE. | Morgue, fée (614). |
| MAGLORE. | Maglore, fée (628). |
| ARSILE. | Arsile, fée (631). |
| WALAINCOURT. | Un figurant (362). |
| LI COMMUNS. | Le commun = public (378). |

---

1. Nous indiquons entre parenthèses le numéro du vers où le personnage apparaît pour la première fois.

Page extraite
des *Œuvres* d'Adam de la Halle
(vers 1280) ***Ph.* © *B. N.*** ⟶

Segneur saues pour quoi
Jai mon abit cangiet.
Jai este auoec feme
Or reuois au clergiet.
Si auerai chou
Que iai piecha songiet.
Mais ie uoeil a uous tous
Auant prendre congiet.
Or ne poront pas dire
Aucun que iai antes
Que daler a paris
Soie pour nient uantes.
Chascuns puet reuenir
Ja tant niert encantes.
Apres grant maladie
Ensieut bien grans santes.
Dautre part ie nai mie
Chi men tans si perdu.
Que ie naie a amer
Loiaument entendu.
Encore pert il bien
As tres. quels li pos fu.
Si men uois a paris
Riquece auuis.
Caitis qui feras tu.

Onques darras bons clers nissi
Et tu le ueus faire de ti
Che seroit grans abusions
Adans.
Nest mie ulriers amons
Bons clers i soutiex en sen liure
Hane li meiers.
Oil pour .ij. deniers le liure
Je ne uoi quil sache autre cose
Mais nus reprendre ne uous ose
Tant aues uous mauaule chief
Riquiers.
Cuidies uous quil ueust achief
Biaus dous amis de che quil dist
Adans.
Chascuns mes paroles despist
Che me samble i giete moult lonc
Mais puis que che uient au besoig
Et que par moi mestuet aidier
Sachies ie nai mie si chier
Le seiour darras ne le ioie
Que lapndre laissier en doie
Puis que diex ma donne engien
Tans est que ie latour a bien
Jai chi asses me bourse escousse
Guillos li petis.
Que deuenra dont li pagousse
Me commere dame maroie
Adans.
Biaus sire auoec men pere ert chi
Guillos.
Maistres il nira mie ensi
Sele se puet metre a le uoie
Car bien sai sonques le grant

# LI JUS ADAN*

ADANS

Seigneur, savés pour coi j'ai men abit cangiét?
J'ai esté avoec feme, or revois au clergiét[1];
Si avertirai chou ke j'ai piech'a songiét[2],
Mais je voeil a vous tous avant prendre congiét.

5 Or ne pourront pas dire aucun ke j'ai antés
Ke d'aler a Paris[3] soie pour nient vantés.
Cascuns puet revenir, ja tant n'iert encantés[4];
Après grant maladie ensiut bien grans santés.

* Voir, page 5, « **Le Jeu de la feuillée** » : **pourquoi ce titre?**

1. *Au clergiét :* à la condition de clerc. Le clerc, dans le haut Moyen Age, s'oppose au laïc en général. Mais le clergé c'est aussi le groupe social des intellectuels en un temps où le savoir a trouvé refuge dans les couvents. Il n'est alors d'intellectuels que d'Église. Le développement des villes entraîne la naissance d'un nouveau type d'intellectuel, encore lié à l'Église puisque l'Église dispense tout enseignement. Ce lien est marqué par la tonsure et par un statut juridique qui soustrait le clerc à la juridiction civile. (Voir plus loin, dans le *Jeu* [vers 426-495], le problème des clercs bigames). Ce clerc peut canoniquement prendre femme et exercer après ses études quelque métier que ce soit. Le mariage n'était cependant point considéré comme très convenable à un clerc, il était en tout cas incompatible avec de hautes ambitions intellectuelles, il risquait de déconsidérer un professeur : au début du XIIe siècle, Abélard refusa de rendre public son mariage avec Héloïse. — 2. *Songiét :* le verbe *songer* a, en ancien français, le sens de « faire un songe »; ce n'est qu'au XVe siècle que, subissant l'influence du verbe *soigner*, il prendra le sens de « penser », « s'occuper de », pour être remplacé dans ses emplois originels par « rêver » (errer). — 3. La ville de tous les prestiges au Moyen Age, même dans les Flandres, dont le développement urbain et culturel est avancé. En 1164, Jean de Salisbury écrit à Thomas Beckett : « J'ai fait un détour par Paris. Quand j'y ai vu l'abondance de vivres, l'allégresse des gens, la considération dont jouissent les clercs, la majesté et la gloire de l'Église tout entière, les diverses activités des philosophes, j'ai cru voir plein d'admiration l'échelle de Jacob. » Rappelons que, de 1258 à 1274, Robert de Sorbon organise la Sorbonne. — 4. *Encantés*, sens fort : « qui subit l'effet d'une formule magique », idée de « perte de la conscience de soi » comme le prouve le verbe *revenir*.

# LE JEU D'ADAM

ADAM

Seigneurs, savez-vous pourquoi j'ai changé mon habit?
J'ai vécu avec une femme, maintenant je retourne au clergé;
j'écarterai [1] ainsi un songe que j'ai fait il y a longtemps.
Mais je veux prendre congé de vous tous auparavant.

Maintenant certains que j'ai fréquentés ne pourront pas dire
que je me suis pour rien vanté d'aller à Paris.
Chacun peut revenir [à soi] [2], on n'est jamais à ce point ensorcelé [3];
après une grave maladie revient une très bonne santé.

---

1. L'édition Montmerqué et Michel traduit ainsi le v. 3 : « Ainsi je détournerai ce que j'ai rêvé »; traduction Langlois : « Je détournerai ainsi les présages d'un songe que j'ai eu naguère »; traduction de MM. Frappier et Gossart : « Je réaliserai ainsi ce que je rêve depuis longtemps. » Nous n'adoptons point cette dernière : « avertir » n'a jamais le sens de « réaliser »; au surplus l'idée de fâcheux présages déjà anciens rend mieux compte du climat désenchanté de la pièce. — 2. *Peut* se reprendre. — 3 Sous-entendu: qu'on ne le puisse.

---

- **L'auteur se lève...**

**« Le *Jeu* commence comme une réunion publique. L'auteur se lève et commence à donner les raisons pour lesquelles il veut quitter Arras » (Thomas Walton). Adam porte la cape d'étudiant. Ce départ pour Paris ne semble-t-il pas avoir été déjà, à plusieurs reprises, décidé et remis?**

**① Sous quels aspects contradictoires Adam présente-t-il ce qui a été sa vie *avoec feme?* Dans *le Congé*, œuvre que l'on considère aujourd'hui comme de la même époque que *le Jeu* mais œuvre d'une tonalité et d'une finalité différentes, Adam de la Halle insiste davantage sur l'approfondissement de soi et l'affinement qu'il doit à l'amour (voir p. 155). Mais le dualisme amour-maladie, amour-élévation, est caractéristique de la littérature courtoise.**
**Les 12 premiers vers du *Jeu*, l'ouverture, sont des alexandrins groupés en quatrains monorimes.**

D'autre part je n'ai mie chi men tans si perdu
10 Ke je n'aie a amer loiaument entendu :
Encore pert il bien as tès queus li pos fu [1].
Si m'en vois a Paris.

RIKECHE AURIS

Caitis [2], k'i feras tu?
Onques d'Arras boins clers n'issi [3],
Et tu le veus faire de ti!
15 Che seroit grans abusions.

ADANS

N'est mie Rikiers Amions
Boins clers et soutieus en sen livre?

HANE LI MERCHIERS

Oïl : « pour deux deniers le livre [4] »,
Je ne voi k'il sache autre cose.

---

1. Nombreuses variantes de ce proverbe au Moyen Age, par exemple : « *Bien pert el chef quels les oilz furent :* il apparaît bien à la tête ce que furent les yeux. » — 2. *Caitis* (francien *chaitif*, puis *chétif*), de *captivus*, captif, par l'intermédiaire d'une forme gallo-romane, *cactivus*. Le sens de « malheureux » apparaît très tôt, puis celui de « misérable », « lâche » : la privation de liberté est généralement considérée, au Moyen Age, comme la cause d'une dégénérescence morale; mais aussi influence des pères de l'Église qui emploient *captivus* pour désigner une personne dominée par ses passions ou une personne à qui manque la grâce. Restriction d'emploi en français moderne : « faible et maladif ». *Captif*, doublet savant de *chétif*, introduit au xv^e siècle, ne laisse à ce dernier mot que les sens dérivés. — 3. *Issi :* Riquier veut dire qu'Arras n'a jamais produit un bon clerc. — 4. Jeu de mots à la rime des vers 17 et 18 sur *livre*, à la fois registre de compte, ouvrage en prose ou en vers, et mesure de poids.

D'autre part je n'ai pas perdu mon temps ici
au point de ne m'être pas appliqué loyalement[1] à aimer :
Aux tessons apparaît bien encore ce que fut le pot.
Ainsi je m'en vais à Paris.

RIQUIER AURIS

Malheureux, qu'y feras-tu?
Jamais d'Arras il n'est sorti un bon clerc,
et tu veux en faire un de toi!
Ce serait une grande illusion.

ADAM

Riquier Amion n'est-il pas
un bon clerc et habile en son livre?

HANE LE MERCIER

Oui : « à deux deniers la livre[2] »
je ne vois pas qu'il sache autre chose

---

1. La coupe du vers 10 incline plutôt à rattacher *loiaument* à *entendu* qu'à *amer*, mais les deux traductions sont possibles. « Aimer loyalement » situe mieux le passage dans le contexte de « la fine amor ». — 2. A cette traduction, d'accord avec celles de Langlois et de Frappier-Gossart, qui fait de Riquier Amion un commerçant dont tout le savoir consiste à bien tenir son livre de caisse et à répéter à ses clients : « à deux deniers la livre », s'oppose l'interprétation de Henri Guy (p. 449) qui voit, dans *soutieus en sen livre*, l'équivalent de *doctus cum libro* et comprend ainsi la réplique de Hane le mercier : « De ce travail que vous louez je ne donnerai pas, moi, deux deniers. » Riquier Amion, très riche bourgeois, aurait été écrivain à ses heures. Malgré des difficultés, cette interprétation n'est pas à exclure : le trait satirique de Hane n'a de pertinence que si Riquier Amion a des prétentions à la clergie. Au surplus, on constatera par la suite que les grands bourgeois d'Arras semblent bien être la cible favorite d'Adam.

- **Le départ pour Paris**
  **① Comment Riquier et Hane le mercier accueillent-ils le projet d'Adam? ② Que pouvons-nous en déduire sur la position morale du poète Adam de la Halle dans ce milieu de la petite bourgeoisie arrageoise? ③ Adam répond avec âpreté à ses amis. Quels vers traduisent, de sa part, une certaine fierté d'intellectuel et le désir de prendre ses distances à l'égard d'un milieu où il doit avoir l'impression de s'enliser? Les vers 26-27 donnent à penser qu'Adam connaissait des difficultés matérielles auxquelles est lié son projet de départ.**

20 Mais nus reprendre ne vous ose,
Tant avés vous muavle kief[1].

RIKIERS

Cuidiés vous k'il venist a kief,
Biaus dous amis, de chou k'il dit?

ADANS

Cascuns mes paroles despit,
25 Che me sanle, et giete mout loing,
Mais, puis ke che vient au besoing,
Et ke par mi m'estuet aidier,
Sachiés je n'ai mie si kier
Le sejour d'Arras ne le joie
30 Ke l'aprendre laissier en doie.
Puis ke Dieus m'a donné engien [2],
Tans est ke je l'atour a bien.
J'ai chi assés me bourse escousse.

GILLOS LI PETIS

Ke devenra dont li pagousse,
35 Me commere dame [3] Maroie?

ADANS

Biaus sire, avoec men pere iert chi.

GILLOS

Maistres, il n'ira mie ensi,
S'ele se puet metre a le voie,
Car bien sai, s'onques le connui,
40 Ke s'ele vous i savoit hui,
Ke demain iroit sans respit.

---

1. *Muavle kief :* tête changeante ou tête vive, prompte à s'emporter? — 2. *Engien* (fr. mod. *engin*) : de *ingenium*, « intelligence, habileté », puis en bas latin « ruse ». Jusqu'au XVIe siècle, les sens de « ruse, adresse, moyen » coexistent avec ceux de « machines et instruments de toute sorte » (anglais *engine*). Aujourd'hui, garde ces sens en ce qui concerne la chasse, la pêche, le levage, la guerre (d'où « engin » pour fusée téléguidée). A noter aussi un développement péjoratif dû à l'imprécision du terme : « drôle d'engin! ». Ici, Adam de la Halle appelle *engien* l'ensemble de ses moyens intellectuels. — 3. *Dame* (sens bourgeois et familier et non point féodalo-courtois) sera employé dans *le Jeu* devant tous les noms de femme, même celui des fées; peut-être, dans ce dernier cas, avec une intention de dérision.

mais personne n'ose vous reprendre
tant vous avez la tête changeante.

RIQUIER

Pensez-vous, beau doux ami, qu'il mène
à bonne fin ce qu'il dit?

ADAM

Chacun méprise mes paroles,
ce me semble, et n'en fait pas de cas.
Mais, puisque cela devient nécessaire
et qu'il me faut m'aider moi-même,
sachez que je n'apprécie pas à ce point
le séjour d'Arras et ses plaisirs
que je doive abandonner l'étude pour eux.
Puisque Dieu m'a donné des capacités,
il est temps que je les dirige vers le bien.
J'ai ici assez secoué ma bourse.

GILLOT LE PETIT

Que deviendra donc la payse,
ma commère Dame Marie?

ADAM

Beau seigneur, elle sera ici avec mon père.

GILLOT

Maître [1], il n'en ira pas ainsi,
si elle peut se mettre en route,
car je sais bien, si jamais je l'ai connue,
que, si elle vous y savait aujourd'hui,
demain elle voudrait y aller sans délai.

---

1. *Maître :* titre universitaire, maître ès arts (anglais : *master of arts*).

- **Adam conte son amour et sa désillusion**

  **① Gillot le petit rappelle à Adam l'amour que sa femme lui porte (v. 34). Adam répond par une grossièreté (v. 44). Le même Gillot oppose au projet d'Adam le sacrement de mariage. Adam lui réplique, agacé, quelque chose comme : « C'est vite dit. »**

  **① Pouvons-nous en déduire que ces arguments n'ont aucune prise sur Adam ?**

ADANS

Et savés vous ke je ferai?
Pour li espanir meterai
De le moustarde seur men vit.

GILLOS

45 Maistre, tout chou ne vous vaut nient,
Ne li cose a chou point ne tient.
Ensi n'en poés vous aler,
Car, puis ke sainte eglise apaire
Deus gens, che n'est mie a refaire.
50 Warde estuet prendre a l'engrener.

ADANS

Par foi, tu dis a devinaille,
Aussi com « par chi le me taille [1] ».
Ki s'en fust wardés a l'emprendre?
Amours me prist en itel point
55 Ou li amans [2] deus fois se point
S'il se veut contre li deffendre;
Car pris fui ou premier boullon
Tout droit en le verde saison
Et en l'aspreche de jouvent,
60 Ou li cose a plus grant saveur,
Ne nus ne cache [3] sen meilleur,
Fors chou ki li vient a talent.
Este [4] faisoit bel et seri,
Douc et vert et cler et joli [5],
65 Delitavle en cans d'oiseillons;

1. *Par chi le me taille :* dans la langue des tailleurs de pierre cette expression signifie : « sans dévier de la ligne tracée » d'où, dans la langue commune, le sens de « facile à dire! » — 2. *Amans :* celui qui aime et déclare son amour. — 3. *Cache :* forme picarde de *chasse*, synonyme de *pourchace*, « cherche à obtenir », du latin populaire *captiare* (lat. cl. *captare*), « chercher à prendre »; d'où « faire fuir » par glissement de sens. — 4. L'été, au Moyen Age, commence au début du printemps (le premier temps). Nous avons ici une description de la nature en mai. — 5. *Joli :* sans doute de l'ancien scandinave *jôl* qui désignait une fête païenne, plus le suffixe *-if*, fréquent en ancien français et dont le *f* final devait s'effacer. D'abord « gai, agréable », puis « bien paré », d'où le sens moderne dès le XVe siècle.

ADAM

Et savez-vous ce que je ferai?
Pour la sevrer je m'enduirai
de moutarde [1]...

GILLOT

Maître, tout cela ne vous sert à rien,
et la chose ne tient point à ça.
Vous ne pouvez vous en aller ainsi
car, une fois que la sainte Église a accouplé
deux personnes, ce n'est pas à refaire.
Il faut prendre garde au moment d'engrener.

ADAM

Ma foi, tu parles au petit bonheur [2],
[il n'est que de dire] « taille-le-moi par ici ».
Qui s'en serait gardé au moment d'entreprendre?
Amour me prit en ce point
où l'amant deux fois se pique
s'il veut contre lui se défendre.
Car je fus pris au premier bouillonnement,
juste dans la verte saison
et dans l'ardeur de la jeunesse,
quand la chose a plus grande saveur
et quand nul ne recherche son bien
mais ce qui lui est agréable.
C'était un été beau et serein,
doux et vert et clair et gai,
[rendu] délicieux par les chants des petits oiseaux;

---

1. La pudeur est sauve ... — 2. Traduire *a devinaille*, comme Langlois, par « en théologien » est plausible mais un peu dur. Le mot est un dérivé de *devin* (de *divinare*, « conjecturer »). D'où le sens ici, « tu parles par conjecture », sans savoir, comme s'il suffisait de dire « taille-le-moi par ici », en supposant inexistante la résistance du matériau.

---

- **Les éléments conventionnels dans le thème de la naissance de l'amour : la prime jeunesse des amants, la nature au printemps, le paysage prédestiné (la source), la beauté de la jeune fille, le caractère inexorable des atteintes de l'amour (sinon la fatalité de la passion), la naissance de l'amour par la seule contemplation de la beauté de l'être aimé. « L'amour se définit, d'après André Le Chapelain, en fonction de la perception ou de la représentation de la forme, c'est-à-dire de la beauté » (Edgar de Bruyn, *Études d'esthétique médiévale*, t. II).**

---

En haut bos, près de fontenele[1]
Courant seur maillie gravele[2],
Adont me vint avisions
De cheli ke j'ai a feme ore,
70 Ki or me sanle pale et sore;
Adont estoit blanke et vermeille,
Rians, amoureuse[3] et deugie[4],
Or le voi crasse et mautaillie,
Triste et tenchant.

RIKIERS

Ch'est grans merveille[5],
75 Voirement estes vous muavles,
Quant faitures si delitavles
Avés si briement ouvliëes.
Bien sai pour coi estes saous.

ADANS

Pour coi?

RIKIERS

Ele a fait envers vous
80 Trop grant markiét de ses denrees[6].

ADANS

Tproupt! Rikeche, a chou ne tient point,
Mais Amours si le gent enoint

---

1. *Fontenele :* diminutif de *fontaine* (< fontana, adj. de source); le sen de « source » est le plus fréquent au Moyen Age; cf. en toponymie Fontaine de-Vaucluse où la Sorgue prend sa source. — 2. *Gravele* apparaît au XIIe siècle au sens de « gravier » (dérivé de *grava*, sable, gravier); à partir du XVIe siècle le sens médical, attesté dès le XIIIe siècle, s'impose seul. — 3. *Amoureuse* désign moins ici un état qu'une disposition à éprouver et à inspirer de l'amour. — 4. *Deugie :* forme picarde pour *deugiée* (de *delicata*, « délicate, choisie ») au sens de mince, fin, ce mot survit dans *délié*, francisation tardive de *delicatu* (XIIIe s.); cf. l'espagnol *delgada*. — 5. *Merveille :* non point ici, même pa antiphrase, le terme d'appréciation laudative que nous connaissons, mai sens de « prodige, ce qui passe l'entendement ». — 6. *Denrees :* a XIIe siècle *denerée*, ce que l'on obtient pour un denier. Le sens moderne d « marchandises », particulièrement alimentaires, apparaît très tôt.

ans un haut bois près d'une source
ourant sur un gravier scintillant,
n'apparut alors l'image
e celle que j'ai maintenant pour femme,
ui maintenant me paraît pâle et défraichie;
lle était alors blanche et vermeille,
ieuse, amoureuse et élancée,
e la vois maintenant grasse et mal faite,
iste et querelleuse.

RIQUIER

C'est grande merveille.
'ous êtes vraiment inconstant
'avoir si vite oublié
es traits si délicieux.
e sais bien pourquoi vous êtes rassasié.

ADAM

ourquoi?

RIQUIER

Elle n'a pas avec vous,
ssez épargné ses denrées.

ADAM

euh! Riquier, cela ne tient point à cela,
ais l'amour flatte [1] à ce point les gens

1. Traduction Frappier-Gossart : « Mais Amour farde la belle »; Langlois : Mais Amour rend les gens si bienveillants ». Cette contradiction repose sur *gent*, féminin collectif pour *les gens* ou adjectif substantivé = *la belle*. Notre aduction donne au verbe « enoindre » la valeur sacrale du verbe « oindre » « investir d'une grâce »; en ce sens il s'applique aussi bien à l'amant qui esse de voir les choses comme elles sont qu'à l'objet aimé, ainsi paré d'un arme d'emprunt.

---

- **Le portrait-charge de Maroie**
  ***Or le voi*** **(v. 73). On peut se demander si Adam exprime ici ce qu'il voit ou la manière dont il voit sa femme.**
  **① Rapprochez ce vers des vers 76-77, où « oublier » semble bien vouloir dire : cesser de voir par accoutumance ou satiété. Ce qui rendrait le portrait-charge qu'Adam s'apprête à faire de Maroie, sa femme, invraisemblable à ceux qui la connaissent. On notera comment le thème conventionnel est adroitement inséré dans le développement autobiographique de cette partie du *Jeu*.**
  **L'image commerciale utilisée par Riquier (v. 80) trahit son origine et sa profession.**

---

Et cascune grasse enlumine
En feme et fait sanler plus grande,
85 Si c'on cuide d'une truande[1]
Bien ke che soit une roïne.
Si crin[2] sanloient reluisant
D'or, roit et crespe et fremiant,
Or sont keü, noir et pendic.
90 Tout me sanle ore en li mué.
Ele avoit front bien compassé,
Blanc, onni, large, fenestric,
Or le voi cresté et estroit.
Les sourchieus par sanlant avoit
95 Enarcans, soutieus et ligniés
De brun poil con trais de pinchel,
Pour le rewart faire plus bel;
Or les voi espars et drechiés
Con s'il voelent voler en l'air.
100 Si noir oeil me sanloient vair[3],
Sec[4] et fendu, prest d'acointier[5],
Gros dessous deliiés fauchiaus,
A deus petis plochons jumiaus,
Ouvrans et cloans a dangier[6]
105 En rewars simples amoureus;
Puis si descendoit entre deus
Li tuiaus du nés bel et droit,
Compassés par art de mesure,

---

1. Le sens de « femme de mauvaise vie », féminin de *truand*, « mauvais gar çon », apparaît très tôt, mais celui de « malheureuse, gueuse » subsiste long temps. L'évolution sémantique de l'idée de pauvreté à celle de malhonnêteté est fréquente (ex. misérable). *Truand* viendrait d'un mot gaulois apparent à l'irlandais *trogan*, malheureux. Ici le sens de « miséreuse » semble s'imposer. — 2. Aucun irrespect ici; *crin*, pour « cheveu », a survécu jusqu'au XVI^e^ siècle. — 3. *Vair* s'oppose ici à *noir*. *Vair* qualifie souvent l'œil au Moyen Age, ave le sens de « brillant, animé »; mais comme ces qualités étaient par traditio réservées aux yeux bleus, le mot *vair* a pu prendre le sens de : bleu. A moin que les yeux noirs n'aient été considérés comme inexpressifs... en pareil ca il y aurait antithèse entre *noir* et *vair*, et non plus entre *noir* et le sens de « bleu attribué à *vair*. — 4. *Sec*, c'est-à-dire « non chassieux ». — 5. *Acointier*, *acointe*, *cointe :* mots importants du vocabulaire de l'amour au Moyen Age; de *cognitum* « connu », dont les dérivés sont passés dans le vocabulaire de la galanterie. — 6. *Dangier :* de *domniarium*, pouvoir. D'abord *dongier*, puis *dangier*, peut-êtr sous l'influence de *dam*, « dommage ». *A dangier* signifie parfois « rarement » « en faisant des difficultés », mais la fixité d'un regard jamais interrompu pa un battement de paupières ne devait pas être un élément de charme. Adam de la Halle veut sans doute suggérer que Maroie faisait ce qu'elle voulait de ses yeux, qu'elle en jouait à volonté.

et à chacune des grâces d'une femme
il donne un tel éclat et la fait paraître à ce point plus grande
que d'une truande
on croit que c'est une reine.
Ses cheveux semblaient reluisants d'or,
fermes, ondulés et chatoyants,
ils sont maintenant clairsemés, noirs et pendants.
En elle tout me semble à présent changé.
Elle avait le front bien proportionné [1],
blanc, lisse, large, dégagé,
je le vois maintenant ridé et étroit.
Elle avait apparemment ses noirs sourcils
arqués, fins, aussi bien dessinés
qu'un trait de pinceau [2],
pour rendre le regard plus beau;
je les vois maintenant épars et dressés
comme s'il voulaient voler en l'air.
Ses yeux noirs me semblaient clairs,
secs et bien fendus, prompts à lier connaissance,
grands sous de fines paupières,
avec deux petites clôtures jumelles
s'ouvrant et se fermant à volonté
en regards simples et amoureux.
Puis descendait entre eux deux
l'arête du nez belle et droite,
dessinée selon la juste mesure,

1. Notion capitale, celle de la juste mesure, de l'harmonie des traits. — 2. Trad. Trappier-Gossart : « marqués d'un trait brun comme au pinceau »; Langlois : « réguliers comme deux traits de pinceau ». Cette dernière traduction nous paraît préférable : l'épilation et le fard étaient connus au Moyen Age. Adam de la Halle veut sans doute dire que Maroie n'avait besoin ni de l'une ni de l'autre pour corriger sa nature.

- **La versification**

**On aura observé que, depuis le vers 33 (et ce jusqu'au vers 182), la disposition des rimes a changé. Aux rimes plates employées jusque-là, Adam a substitué une succession de sixains** *a a b c c b.* **Ce passage correspond, pour l'essentiel, aux deux grandes tirades d'Adam; l'intention de détacher ce morceau « à faire » est évidente. Elle le sera moins aux vers 837-872. Notons que cette disposition des rimes sera, cinquante ans plus tard, celle de** *la Divine Comédie.* **Elle avait déjà été employée au début du XIII**[e] **siècle par Jean Bodel dans** *le Jeu de saint Nicolas* **et par l'auteur inconnu de** *Courtois d'Arras.*

Ki li donnoit fourme [1] et figure [2],
110 Et de gaieté souspiroit.
Entour avoit blankes maisseles,
Faisans au rire deus foisseles,
Un peu nuees de vermeil [3],
Parans dessous le cuevrekief.
115 Ne Dieus ne venist mie a kief
De faire un viaire pareil
Ke li siens, adont me sanloit.
Li bouke après se poursievoit,
Graille as cors et grosse ou moilon,
120 Freske et vermeille comme rose;
Blanke denture, jointe et close.
En après fourchelé menton
Dont naissoit li blanke gorgete,
Dusk'as espaules sans fossete,
125 Onnie et grosse en avalant [4]:
Haterel poursievant derriere,
Sans poil, blanc et gros de maniere [5],
Seur le cote [6] un peu reploiant.
Espaules qui point n'encrukoient,
130 Dont li lonc brac adevaloient,
Gros et graille ou il aferoit.
Encore estoit tout chou du mains,

---

1. *Fourme*, ou *forme*, apparaît au XII^e^ siècle; emprunt au latin *forma*, mot fréquent dans la langue de la scolastique. Le nez donne forme au visage en ce que, placé au centre, c'est par rapport à lui que s'organisent les autres éléments du visage, c'est en fonction de sa longueur que s'établissent les proportions du front, du menton, etc. — 2. *Figure :* le sens de « visage » qu'a ce mot aujourd'hui n'apparaît qu'au XVII^e^ siècle; ici le mot reprend le sens de *fourme*, selon un procédé fréquent dans l'ancienne langue. — 3. Très fréquent dans le sens de « rouge éclatant »; du latin *vermiculus*, « vermisseau », qui désignera par la suite la cochenille puis la couleur écarlate qu'elle produit. — 4. Avaler = descendre (cf. aval); restriction d'emploi dès le moyen-français; Rabelais jouera sur les deux sens, faisant dire à un bon buveur : « Si je montais aussi bien comme j'avale... ». — 5. *Maniere*, sens variés en ancien français de ce dérivé de *main* modération, mesure, coutume. — 6. *Cote :* robe, tunique, et non point, comme en français moderne, cotte, jupe courte de villageoise; cf. cotte de mailles

qui lui donnait forme et figure
et frémissait de gaieté.
De part et d'autre, sous le bonnet[1],
elle avait deux blanches joues
un peu nuancées de vermeil,
qui faisaient deux fossettes quand elle riait.
Dieu ne viendrait pas à bout
de faire un visage semblable,
me semblait-il alors.
Puis venait la bouche,
mince aux coins, grosse au milieu,
fraîche et vermeille comme une rose[2];
les dents blanches, jointes et serrées.
Ensuite un menton à fossettes
d'où naissait la blanche gorge
ans un pli jusqu'aux épaules,
isse et plus forte en descendant;
a nuque suivant son chemin par derrière,
ans poil, blanche et pleine à convenance,
aisant sur la cotte un léger repli.
Des épaules qui ne retombaient point,
d'où descendaient de longs bras,
gros et minces où il le fallait.
Encore était-ce là le moins,

---

1. *Bonnet* pour *cuevrekief* peut sembler manquer aujourd'hui de féminité; mais ce fut longtemps la coiffure féminine, témoin l'expression « jeter son onnet par-dessus les moulins ». La traduction par « voilette » (Langlois) st un peu précieuse et évoque davantage un nu de Cranach qu'une jeune itadine d'Arras au XIIIe siècle. — 2. Comparaison attendue.

- **Le double portrait de Maroie**

**① Relevez les termes traduisant, de la part d'Adam, le sentiment d'avoir été victime d'une illusion.**
**② Notez la composition antithétique de ce passage, déjà amorcée plus haut (vers 69 à 73).**
**③ Adam de la Halle connaît-il un retour cruel à la lucidité ou est-ce que, depuis son mariage, Maroie a changé au point d'être méconnaissable? Adam de la Halle abandonne maintenant (v. 100-131) l'antithèse passé-présent, illusion-vérité. Seul l'imparfait de l'indicatif rejette dans le passé la beauté de Maroie.**
**④ Commencez à déterminer l'ordre des éléments de ce portrait.**
**⑤ Relevez les expressions variées par lesquelles Adam de la Halle exprime que la beauté de Maroie était conforme aux canons de la beauté reçue.**

Ki rewardoit ches blankes mains [1],
Dont naissoient chil bel lonc doit
135 A basse jointe, graille en fin,
Couvert d'un bel ongle sanguin,
Près de le car onni et net.
Or venrai au moustrer devant,
De le gorgete en avalant :
140 Et premiers au pis [2] camuset [3],
Dur et court, haut et de point bel,
Entrecloant le ruiotel
D'Amours, ki kiét en le fourchele;
Boutine avant et rains vauties,
145 Ke manche d'ivoire entaillies
A ches coutiaus a demoisele [4].
Plate hanke, ronde gambete,
Gros braon, basse kevillete,
Pié vautic, haingre, a peu de car.
150 En li me sanloit tel devise [5].
Si cuit ke dessous se kemise
N'aloit pas li sourplus en dar.
Et ele perchut bien de li
Ke je l'amoie mieus ke mi,
155 Si se tint vers mi fierement;

1. Les adjectifs de couleur précèdent généralement le substantif qu'ils déter minent, en ancien français. — 2. *Pis* (de *pectus*) ne s'employait pas exclusi vement pour les animaux comme en français moderne. — 3. *Camuset :* dimi nutif de *camus*, mot dont l'étymologie fait difficulté; « paraît contenir le radica de *museau* avec le préfixe *ca-* » (Bloch-Wartburg). Ici *camuset* peint ave précision. — 4. *Demoisele :* notation ici plus sociale que d'âge ou d'état civi Ce mot a désigné longtemps (jusqu'à la fin du XVIII^e s.) une fille noble ou un femme mariée de la petite noblesse; de *domnicella*, diminutif de *domina*. — 5. *Devise* apparaît au XII^e siècle, avec *devis*, comme un déverbal de *deviser* « partager, exposer, raconter, discourir »; d'où le sens, ici, de « description » sens commun avec *devis*. Puis *devise* et *devis* évolueront différemment : *devise* dans la langue du blason, désignera une bande de l'écu, puis une formule placé à côté des armoiries, d'où le sens de « sentence concise ».

- **La beauté de Maroie**

**A cette jeune femme dont la beauté n'est qu'ordre et que mesure, exact proportion, harmonie, opposons « cette esquisse pour le portrait d'u *vilain* » (c'est-à-dire d'un paysan), dans *Aucassin et Nicolette* : « Gran estoit et mervellex et lais et hidex; il avoit une grande hure [nom donn à la tête de quelques animaux : le porc, le sanglier] plus noire qu'un carbouclée [charbon] et avoit plus de planne paume entre deuz ex [le yeux trop rapprochés ou au contraire trop éloignés, indice de bestialité et avoit unes grandes joes et un grandisme nes plat et unes grans narin lees et unes grosses lavres plus rouges d'une carbonnée [grillade] et un grans dens gaunes et lais » (éd. Mario Roques, Champion, p. 25).**

pour qui regardait ces blanches mains
dont naissaient ces beaux doigts longs,
à la basse articulation [1], minces au bout,
couverts d'un bel ongle sanguin,
isse et net près de la chair.
e vais en venir à montrer le devant,
depuis la gorge en descendant :
Et d'abord le sein camuset,
ur et court, haut et en tous points beau,
imitant de part et d'autre le ruisselet d'Amour,
ui tombe dans le creux de l'estomac;
e nombril en avant, les reins cambrés,
culptés comme le manche d'ivoire
e ces couteaux pour demoiselles.
lanche plate, petite jambe ronde,
ros mollet, basse chevillette,
ied cambré, maigre, avec peu de chair.
oilà ce qu'il me semblait trouver à décrire en elle.
t je crois que sous sa chemise,
e surplus n'était pas moins prisable [2].
t elle s'aperçut bien d'elle-même
ue je l'aimais plus que moi-même,
ussi se conduisit-elle fièrement envers moi;

---

1. *Basse :* sans doute plate, elle n'avait pas les doigts noueux. — 2. Pointe icencieuse, aussi discrète que de rigueur dans un tel portrait.

**Les traits aristocratiques de ce portrait : blancheur du teint et des mains, cheveux blonds, finesse des articulations, etc. Se rappeler que la tradition littéraire du portrait de femme naît dans la littérature de courtoisie, c'est-à-dire de Cour.**
**Les traits qui évoquent les arts plastiques au XIII^e siècle (peinture et surtout sculpture gothiques) : « le nombril en avant, les reins cambrés ». Cette attitude est celle des vierges déhanchées, si nombreuses à partir du XIII^e siècle dans nos églises. De même, la finesse des traits, le dessin de la bouche, fine aux coins, charnue au milieu, la gracilité des bras et des épaules, les longs doigts fuselés. Tout cela se retrouve dans l'art gothique.**
**① Noter le didactisme et la lourdeur démonstrative qui affectent parfois ce portrait. Par quoi se manifestent-ils?**
**② Le caractère conventionnel de ce portrait et de l'opposition beauté-laideur n'atténue-t-il pas sensiblement ce qu'il peut y avoir ainsi de malséant à détailler sur la scène les charmes de sa propre épouse? Mais ne sommes-nous pas dans le même terroir (ou à peu près) qui verra s'épanouir la manière de Crommelynck (1888-1970)?**

Et com plus fiere se tenoit,
Plus et plus croistre en mi faisoit
Amour et desir et talent.
Avoec se merla jalousie,
160 Desesperanche et derverie [1].
Et plus et plus fui en ardeur
Pour s'amour et mains me connui,
Tant c'ainc puis aaise [2] ne fui,
Si oi fait d'un maistre un seigneur [3].
165 Boines gens, ensi fui jou pris
Par Amours, ki si m'ot souspris;
Car faitures n'ot pas si beles
Comme Amours les me fist sanler;
Mais Desirs les me fist gouster
170 A le grant saveur de Vaucheles [4].
S'est drois ke je me reconnoisse [5]

---

1. *Derverie :* forme picarde pour *desverie*; le verbe *desver*, « perdre le sens », dérive sans doute d'un ancien *esver* que nous retrouvons dans *rêver*, d'abord « vagabonder », puis « délirer ». — 2. *Aaise :* de *adjacens*, participe présent substantivé de *adjacere* « être situé auprès », développement de l'idée de commodité à partir de celle de contiguïté. — 3. Jeu de mots : *un seigneur*, titre féodal, c'est bien plus qu'un maître (titre universitaire); mais un seigneur c'est aussi un mari, puisque *baron*, *seigneur*, dans n'importe quel milieu social, prennent très tôt le sens de « mari ». En pareil cas Adam peut rétrospectivement considérer qu'il n'y a pas eu promotion et qu'un époux est moins qu'un maître ès arts. — 4. Abbaye cistercienne près de Cambrai. Dans une chanson à la fois chrétienne et antimonachiste, Adam de la Halle épargne les cisterciens. On a présumé qu'il avait été leur élève. D'où le sens possible de ce vers : « L'interna de Vaucheles avait aiguisé ma sensibilité » (Langlois). Il est sûr qu'un jeune homme sortant de pension, après de nombreuses années hors du monde, est plus exposé que quiconque, pour peu qu'il ait des lectures, à être la dupe du désir. Un savant allemand a vu dans *Vauchelles* (petites vallées) un jeu de mots licencieux. C'est bien possible, mais pourquoi ne pas admettre que c'est à travers sa culture de clerc qu'Adam a d'abord vu Maroie? Pensons à Swann s'éprenant d'Odette à cause de sa ressemblance avec un personnage biblique peint par Giotto. Enfin, il y a, près d'Arras, un village, Vauchelles-lès-Authie, qui était peut-être le rendez-vous des amoureux, une sorte de Robinson. Tout cela est conjectural. — 5. Cf. v. 162.

---

- **Le portrait de Maroie**

**Commentaire de M. Frappier sur le portrait de Maroie :**
**« Morceau travaillé, à n'en pas douter. Du cliché scolaire et traditionne Adam de la Halle conserve l'ordre descendant, l'antithèse entre le pass et le présent, les traits licencieux, des expressions consacrées. Mais dan le portrait idéalisé de Maroie, il s'ingénie aussi à renouveler le vocabu laire et l'arsenal des images. On relève des mots rares et pittoresques** ***fauchiaus*** **(v. 102), « enveloppe », pour désigner les paupières;** ***plochon***

et plus elle se montrait fière,
plus elle faisait croître en moi
l'amour, le désir, l'envie.
A cela se mêlèrent la jalousie,
le désespoir, la folie.
De plus en plus je m'enflammai pour son amour
et de moins en moins je me connus [1],
si bien que je n'eus de satisfaction
jusqu'à ce que j'eusse fait d'un maître un seigneur.
Bonnes gens [2], ainsi ai-je été pris
par Amour qui bien m'attrapa;
car elle n'avait pas les traits si beaux
qu'Amour me les fit paraître.
Mais Désir me les fit goûter
à la grande saveur de Vauchelles.
Ainsi il est juste que je me reconnaisse

---

1. Adam a exprimé déjà cette idée que l'amour entraîne la perte de la conscience et la méconnaissance de soi. Sans doute veut-il dire qu'il a été conduit à oublier sa vraie vocation en se mariant. Ce n'est qu'avec une ironie amère à l'égard de lui-même qu'il prononce *si oi fait d'un maistre un seigneur*, vers que Langlois a tort de traduire par : « que je n'eusse fait de mon maître, mon seigneur ». — 2. *Bonnes gens :* Adam, encore seul sur la scène, s'est adressé à toute l'assistance.

**(v. 103), « petites clôtures en branches entrelacées », en parlant des cils. La mignardise des diminutifs, employés d'ailleurs sans excès (*oiseillons*, v. 65; *fontenele*, v. 66; *gorgete*, v. 123 et v. 139; *camuset*, v. 140; *ruiotel*, v. 142; *gambete*, v. 147; *kevillete*, v. 148), contribue au charme un peu maniéré de la description. Outre des trouvailles d'expression (ce mérite n'est pas très fréquent dans les textes médiévaux), il faut louer plus encore la recherche d'images neuves et justes, alors que l'invention d'Adam brodait sur un thème bien usé, un topos : le ruisselet d'Amour entre les seins (v. 142-143), les reins cambrés comme le manche d'ivoire, apparemment concave, des couteaux utilisés à table par les nobles *demoiseles* (v. 144-146). »**

**① Mettez en parallèle le portrait de Maroie avec celui de Nicolette, héroïne d'*Aucassin et Nicolette*, chantefable du XIIIe siècle :**
**« Elle avait les cheveux blonds, finement bouclés, les yeux vifs [vairs] et riants, le visage joli, le nez noble et bien situé, les petites lèvres vermeilles plus que ne le sont la cerise ou la rose au temps d'été, et les dents blanches et menues; et elle avait de petits seins durs qui lui soulevaient son vêtement comme l'auraient fait deux grosses noix; et elle avait la taille si mince que vous auriez pu la ceindre de vos deux mains; et les fleurs des marguerites, qu'elle rompait en marchant et qui se couchaient sur le dessus de son pied, étaient tout à fait noires à côté de ses pieds et de ses jambes, tant elle était blanche, la jeune fille. »**

Tout avant ke me feme engroisse
Et ke li cose plus me coust,
Car mes fains en est apaiés[1].

RIKIERS

175 Maistre, se vous le me laissiés,
Ele me venroit bien a goust.

MAISTRE ADANS

Ne vous en meskerroie a pieche.
Dieu pri ke il ne m'en meskieche[2] :
N'ai mestier[3] de plus de mehaing;
180 Ains vaurrai me perte rescourre,
Et, pour aprendre, a Paris courre.

MAISTRE HENRIS

A! biaus dous fieus, ke je te plaing,
Quant tu as chi tant atendu,
Et pour feme ten tans perdu!
185 Or fai ke sages, reva t'ent.

---

1. *Apaiés :* le verbe *apaier* signifie à la fois payer, satisfaire et apaiser, fair la paix; de *pacare* (dérivé de *pax*, la paix), pacifier. Les deux notions de « payer » et de « satisfaire, apaiser » sont contiguës. — 2. Du verbe *mescheoir*, compos de *mis* et de *cheoir* (de *cadere*) : arriver malheur. Le méchant, c'est d'abor celui qui tombe mal, qui n'a pas de chance, donc malheureux; puis développe ment du sens de « prédisposé au mal, qui cherche à nuire ». — 3. *Mestier* de *ministerium*, « service, office », fortement contracté en *misterium*, ou influenc par *mysterium* dans des contextes religieux (le service de Dieu, le métie de Dieu). En ancien français le mot a aussi le sens de « besoin, nécessité ».

---

- **Les illusions de l'amour (v. 81-174)**

**La plus longue tirade, Adam la prononce, seul en scène. Autant que l'o puisse reconstituer la mise en scène du *Jeu de la feuillée*, d'autres per sonnages vont bientôt le rejoindre et il s'effacera devant eux.**
**Cette tirade d'Adam est aussi une variation sur le thème « l'amour et l mariage ». « Le mariage, fin de l'amour, est un thème courant de la litt rature courtoise qui célèbre, en règle presque générale, l'amour en deho des liens légitimes. L'incompatibilité entre l'amour et le mariage est un pr blème que débattent de nombreux jeux-partis composés à Arras ou ailleurs (M. Ungureanu).**

**① Recherchez les préoccupations profondes et même les motifs d'angois qu'exprime Adam de la Halle à travers un brillant exercice d'école.**

**② Rapprochez le vers 174 des vers 79 et 80.**

avant que ma femme soit enceinte
et que la chose me coûte davantage,
car ma faim en est apaisée.

RIQUIER AURIS

Maître, si vous me la laissiez,
elle conviendrait bien à mon goût.

MAÎTRE ADAM

J'aurais vite fait de vous croire.
Je prie Dieu qu'il ne m'en arrive malheur.
Je n'ai pas besoin de plus d'ennui;
mais je veux réparer ma perte,
et, pour étudier, je cours à Paris.

MAÎTRE HENRI

Ah! beau doux fils, que je te plains
d'avoir ici tant attendu,
et pour une femme perdu tant de temps!
Maintenant agis sagement et va-t-en.

**③ Concluez sur l'ordre des éléments dans le portrait de Maroie. « Dans les descriptions, il faut suivre un ordre méthodique. Lequel? puisque l'art imite la nature, le poète procédera comme la grande artiste. Celle-ci forme l'homme membre par membre, depuis la tête jusqu'aux pieds » (extrait d'un Art poétique du Moyen Age cité par De Bruyn).**
**L'antithèse de la beauté et de la laideur, « un des sommets de l'art littéraire pour le Moyen Age » (*id.*), peut être traitée de diverses manières : description contiguë d'une jeune fille et d'une vieille femme (cruauté du Moyen Age à l'égard des femmes âgées, dans les contes tout au moins), opposition de la jeunesse et de la vieillesse d'une même personne; ce sera le procédé employé par Villon dans *la Belle Heaulmière*, mais il fera traiter le thème par l'héroïne elle-même.**

**④ N'y a-t-il pas lieu de revenir sur l'idée d'un Moyen Age voué à l'ascétisme religieux, ignorant le corps humain, obsédé par le salut?**

**⑤ Relevez, dans ce portrait, les éléments psychologiques ou à signification psychologique.**

**⑥ Pourquoi Maroie a-t-elle, un temps, résisté aux sollicitations d'Adam? Que suggèrent les vers 163-164?**

- **Le départ d'Adam (v. 177-181)**

**Notez la gravité du ton. Quel souci accompagnera Adam à Paris? le prend-il à la légère? C'est la troisième fois qu'Adam parle d'aller à Paris, cette fois il y court : v. 181.**

*Ph. © B.*

Dame peignant son portrait dans un miroir

*Dieu ne viendrait pas à bout*
*de faire un visage semblable,*
*me semblait-il alors.* (v. 115 et suiv.)

ıantilly, Musée Condé, Ph. © Giraudon

« Le Livre des bonnes mœurs » : l'Avarice

*Foi que je vous dois, maître Henri,*
*je vois bien ici votre maladie :*
*c'est un mal qu'on appelle avarice.* (v. 201 et suiv.)

GILLOS LI PETIS

Or li donnés dont de l'argent :
Pour nient n'est on mie a Paris.

MAISTRE HENRIS

Las! Dolans! Ou seroit il pris?
Je n'ai mais ke vint et nuef livres!

HANE LI MERCHIERS

190 Pour le cul Dieu! estes vous ivres?

MAISTRE HENRIS

Naie, je ne bui hui de vin.
J'ai tout mis en canebustin.
Honnis soit ki le me loa!

MAISTRE ADANS

K'i a? K'i a? K'i a? K'i a[1]?
195 Or puis seur chou estre escoliers[2]!

MAISTRE HENRIS

Biaus fieus, fors estes et legiers,
Si vous aiderés a par vous.
Je sui uns vieus hom plains de tous,
Enfers et plains de rume et fades.

LI FISISIENS

200 Bien sai de coi estes malades.
Foi ke doi vous, maistre Henri,
Bien voi vo maladie chi;
Ch'est uns maus c'on claime[3] avarisse.
S'il vous plaist ke je vous garisse,
205 Coiement a mi parlerés.

---

1. *K'ia?* = quoi; c'est aussi le passé simple de *kier*; équivoque fréquente. Donc nous avons là une exclamation grossière suscitée par le désappointement d'Adam. — 2. *Escoliers*, dérivé d'*école; école* avait alors un sens plus large que celui d'« école élémentaire » qui est le plus souvent le sien aujourd'hui (le latin *ludus* n'ayant rien donné dans les langues romanes); *école* désignait toutes les sortes d'établissements d'enseignement et spécialement les différentes facultés. Cf. à Paris la rue des Écoles au Quartier latin. — 3. *Claime :* appelle; cf. l'espagnol *llamar* et l'italien *chiamare*, tous deux au sens de « appeler ».

GILLOT LE PETIT

Donnez-lui donc de l'argent.
On ne vit pas pour rien à Paris.

MAÎTRE HENRI

Hélas! Pauvre de moi! où serait-il pris?
Je n'ai plus que vingt-neuf livres!

HANE LE MERCIER

Par le corps Dieu, êtes-vous ivre?

MAÎTRE HENRI

Non! je n'ai pas bu de vin aujourd'hui.
J'ai tout mis en baril.
Honni soit qui me le conseilla.

MAÎTRE ADAM

Quoi? quoi? quoi?
Avec ça je pense bien être étudiant maintenant.

MAÎTRE HENRI

Beau fils, vous êtes fort et leste,
ous vous aiderez vous-même.
e suis un vieil homme, tousseux,
nfirme, plein de rhumatisme et languissant.

LE MÉDECIN

e sais bien de quoi vous êtes malade,
oi que je vous dois, maître Henri,
e vois bien ici votre maladie :
'est un mal qu'on appelle avarice.
'il vous plaît que je vous guérisse,
ous me parlerez à part.

---

- **Le personnage de Maître Henri**

  **« Le prototype des Gérontes de nos comédies » (Joseph Bédier).**
  **① Comment Adam de la Halle le fait-il apparaître tel?**
- **Le vers 192 : sens aussi de « j'ai tout mis en gage », « mais ce mot de *canebustin*, on l'avait appliqué comme sobriquet à un usurier, à Jean dit Kanebustin. N'est-on pas fondé à croire que la phrase du père d'Adam renfermait une malice qui n'échappait point aux auditeurs? » (H. Guy, *Essai* ...).**
- **Noter le désenchantement sans révolte d'Adam (v. 195) : les fâcheux présages ne sont pas détournés. Adam ne dira plus mot jusqu'au vers 312.**

---

Je sui maistre[1] bien acanlés,
S'ai des gens amont et aval
Cui je garirai de chest mal;
Nommeement en cheste vile[2]
210 En ai jou bien plus de deux mile
Ou il n'a respas ne confort[3].
Halois[4] en gist ja a le mort,
Entre lui et Robert Cosel[5],
Et che bietu le Faverel[6];
215 Aussi fait trestous leur lignages.

GILLOS LI PETIS

Par foi, che n'iert mie damages[7]
Se cascuns estoit mors tous frois.

LI FISISIENS

Aussi ai jou deus Ermenfrois,
L'un de Paris, l'autre Crespin[8],
220 Ki ne font fors traire[9] a leur fin
De cheste cruel maladie,
Et leur enfant et leur lignie.
Mais de Haloi est che grans hides,

---

1. *Maistre :* là aussi titre universitaire, le *fisisien* est passé par les écoles. — 2. *Vile* s'oppose ici sans doute à la cité d'Arras : c'est dans la ville que vivent les bourgeois. — 3. *Confort :* réconfort, soulagement; le mot disparaîtra de la langue et sera emprunté à l'anglais, au XVIII^e siècle, avec une valeur exclusivement matérielle. Il y a ainsi un certain nombre de mots de l'ancien français passés en anglais à la faveur de la conquête normande et ayant fait retour beaucoup plus tard, plus ou moins transformés : ex. *budget* qui est notre *bougette* = petite bourse. — 4. *Halois :* personnage mentionné dans un document de 1289, au nécrologe, à l'occasion du décès de son épouse, et dans *les Congés* du poète Fastoul. — 5. *Robert Cosel :* banquier connu ce qui le situe au sommet de la pyramide sociale. — 6. *Bietu le Faverel :* on ne comprend pas *bietu*, qui peut-être désigne un des membres de l'importante famille Faverel. — 7. *Damages :* dérivé de *dam*, qui manquait de consistance le passage à *dommage* aura lieu sous l'influence de *dongier* à la suite d'un chassé-croisé puisque *dongier* passera à *dangier* sous l'influence de *dam*. L'anglais *damage* a gardé la forme ancienne. — 8. Vraisemblablement deux frères. Ils appartiennent à une très riche famille arrageoise qui pratique le commerce de l'argent. Cette activité est celle qui distingue le plus radicalement la haute bourgeoisie patricienne, au sein de laquelle se cooptent les échevins, de la moyenne et petite bourgeoisie. *Ermenfroi de Paris* fut accusé de fraude fiscale en 1269. Quant aux *Crespins*, ils formeront une dynastie de banquiers; au XIV^e siècle le roi de France devra intervenir pour protéger leurs débiteurs. En 1292 le capital financier mis en circulation par la famille Crespin s'élève à 123 000 livres. — 9. *Traire :* « tirer » en ancien français, puis restriction de sens, le mot passe dans le lexique des activités rurales à la suite du conflit homonymique entre *moudre* (de *mulgere* = traire) et *moudre* (de *molere* = moudre).

Je suis un docteur [un maître] bien achalandé,
j'ai ainsi des clients par monts et par vaux,
que je guérirai de ce mal;
singulièrement dans cette ville,
j'en ai plus de deux mille [1]
pour lesquels il n'y a ni guérison ni soulagement.
Halois en est déjà couché à l'article de la mort,
de même pour Robert Cosel
et [un des] Faverel.
Toutes leurs familles en sont au même point.

GILLOT LE PETIT

Ma foi, ce ne serait pas dommage
si chacun était mort tout froid.

LE MÉDECIN

J'ai aussi deux Ermenfrois,
Ermenfroi de Paris et Ermenfroi Crespin,
qui ne font qu'aller à leur fin
de cette cruelle maladie,
avec leurs enfants et leur lignée.
Mais, pour Halois, c'est grande hideur

---

1. Le chiffre est important, Arras ne dépassait pas 20 000 habitants au XIIIe siècle.

---

- **Satire des avares**

**A partir du vers 197 il ne sera plus question, sinon pour quelques répliques à la fin de la pièce, du départ d'Adam pour Paris, sérieusement compromis par le manque d'argent. Il semble que le médecin monte sur la scène et qu'Adam se retire dans le public, mais il n'y a pas, dans cette pièce étrange, le public d'une part, et les personnages de l'autre.**
**L'avarice de Maître Henri a permis de faire pivoter le mouvement de la pièce vers la satire d'Arras. Ce passage, assez brusque, est sans doute moins arbitraire qu'on l'a cru. Il semble assez naturel qu'Adam de la Halle, clerc pauvre, rencontrant pour la reprise de ses études de grandes difficultés matérielles, ressente de la rancœur à l'égard de l'avarice en général, puis de la gloutonnerie (v. 240-245), et que cette rancœur, dans un climat social lourd, se fixe sur les grandes familles arrageoises.**
**Ces charges à la pointe sèche sont menées sans bonne humeur ni indulgence; c'est Gillot le Petit qui doit exprimer, aux vers 216-217, la pensée profonde d'Adam — noter la cruauté de la réplique.**
**Paris avait, au Moyen Age, la réputation d'être dur aux pauvres. Les étudiants, qui ne sont plus des moines, devaient généralement couvrir leurs besoins.**

Car il est de lui omicides;
225 S'il en muert, ch'iert par s'okison,
Car il acate mort pisson [1],
S'est grans merveille k'il ne crieve.

MAISTRE HENRIS

Maistre, k'est che chi ki me lieve?
Vous connissiés vous en chest mal?

LI FISISIENS

230 Preudon, as tu point d'orinal?

MAISTRE HENRIS

Oie, maistre, vés ent chi un.

LI FISISIENS

Fesis tu orine a enjun?

MAISTRE HENRIS

Oie.

LI FISISIENS

Cha dont, Dieus i ait part.
Tu as le mal saint Liënart [2],
235 Biaus preudon, je n'en voeil plus vir.

---

1. Poisson crevé, que l'on a ramassé flottant au fil de l'eau. — 2. *Mal sain[t] Liënart :* ici « obésité », mais il pouvait s'agir aussi du mal d'enfant, d'où l[e] jeu de mots avec *gesir* (v. 236). Suivant la *Légende dorée*, saint Léonard, qu[i] vivait du temps de Clovis, aurait obtenu la délivrance d'une reine, surprise a[u] milieu des forêts par les douleurs de l'enfantement.

---

- **L'avarice : maladie sociale ou vice personnel dans cette ville d'Arras Aux vers 794-795, Adam de la Halle reparlera d'Ermanfroi Crespin pou[r] nous dire qu'ami du comte d'Artois, il est, avec quelques autres, « maîtr[e] de la ville ». Il reviendra à ce propos sur son avarice. Il s'agit donc ic[i] plutôt de critique sociale que de satire des mœurs. Rappelons-nous qu[e] maître Henri a mis tous ses biens en gage, c'est-à-dire qu'il s'est livr[é] aux usuriers. L'usure était une des activités des banquiers du Moyen Age**

**On observera, dans cet épisode comme dans le suivant qui vise les excè[s] alimentaires, que le père d'Adam commence toujours par faire les frai[s] de la critique. Comme si l'auteur avait voulu ainsi faire passer plus faci[-] lement la force de ses attaques contre les puissants d'Arras. Mais parta[-] gerons-nous pour autant l'appréciation de Henri Guy (*Essai*... p. 16-17)?**

car il est homicide de lui-même.
S'il en meurt ce sera par sa faute,
car il achète du poisson mort,
c'est grande merveille qu'il n'en crève.

MAÎTRE HENRI

Maître, qu'est ceci qui me lève?
Vous connaissez-vous à ce mal?

LE MÉDECIN

Prud'homme as-tu un urinal?

MAÎTRE HENRI

Oui, maitre, en voici un.

LE MÉDECIN

As-tu uriné à jeun?

MAÎTRE HENRI

Oui.

LE MÉDECIN

Voyons donc, que Dieu y ait part.
Tu as le mal de Saint-Léonard,
Cher prudhomme, je n'en veux pas voir davantage.

---

**Pourquoi Adam de la Halle a-t-il si peu épargné sa femme et son père dans le *Jeu?* Ce motif, M. Petit de Julleville l'a clairement énoncé : « Je crois, dit-il, qu'Adam se proposant de faire beaucoup rire aux dépens des autres a voulu rire d'abord un peu de lui-même et de sa femme; telle est, n'en doutons pas, l'explication naturelle des étranges procédés du poète. Son audace prouve sa prudence et, lorsqu'il affecte de ne rien ménager, il s'assure en réalité l'indulgence, ou du moins l'impunité. Ses concitoyens qu'il abreuve d'outrages auront-ils, en effet, le droit de se plaindre d'une franchise impitoyable pour eux, mais que ne fléchit ni la tendresse filiale, ni l'amour conjugal? Si les victimes du railleur lui reprochent ses invectives : Quoi! répondra-t-il, je me suis moqué des miens, et je vous eusse épargnées, vous que mon cœur ne connaît pas? Fallait-il que je traitasse mes ennemis mieux que mes parents et mes confrères?... Autour de lui, chacun collabore au succès de cette ruse nécessaire, et sacrifie gaiement sa vanité, parce que tous, comédiens et directeurs de la troupe, ils savent que l'on va braver des bourgeois puissants, riches, susceptibles, et que les précautions ne sont pas un luxe. »**

---

MAISTRE HENRIS

Maistre, m'en estuet il gesir?

LI FISISIENS

Nenil, ja pour chou n'en gerrés.
J'en ai trois ensi atirés
Des malades en cheste vile.

MAISTRE HENRIS

Ki sont il?

LI FISISIENS

240 Jehans d'Autevile [1],
Willaumes Wagons [2], et li tiers
A non Adans Li Anstiers [3].
Cascuns est malades de chiaus
Par trop plain emplir leur bouchiaus;
245 Et pour ch'as le ventre enflé si.

DAME DOUCHE [4]

Biaus maistre, consilliés m'aussi,
Et si prendés de men argent,
Car li ventres aussi me tent
Si fort ke je ne puis aler.
250 S'ai aportee, pour moustrer [5]
A vous, de trois lieues m'orine.

LI FISISIENS

Chis maus vient de gesir souvine.
Dame, che dist chis orinaus.

---

1. *Jehans d'Autevile* : inscrit au nécrologe artésien en 1281. — 2. *Willaumes Wagons :* personnage connu; Fastoul, un trouvère, lui adresse ses adieux dans son *Congé*. On retrouve ce nom dans plusieurs actes de vente. — 3. *Adans Li Anstiers :* la famille L'Antier est une des plus illustres et puissantes d'Arras. C'est le premier nom de famille mentionné à l'échevinat où il sera très longtemps représenté. D'Adam L'Antier, nous savons qu'il fut un bienfaiteur de Fastoul. — 4. *Dame Douche :* une Dame Douche est inscrite au nécrologe artésien en 1279, mais les vers 250-251 semblent indiquer que le personnage qui porte ce nom dans *le Jeu de la feuillée* n'habitait pas Arras. Ce pourrait être un personnage imaginaire. — 5. *Moustrer :* forme de l'ancien français refaite de bonne heure en *monstrer*, puis *montrer*, d'après la forme écrite *monstrare* (cf. en italien *mostrare*, en espagnol *mostrar*).

MAÎTRE HENRI

Maître, m'en faut-il garder le lit?

LE MÉDECIN

Non, vous ne garderez pas le lit pour ça.
J'ai trois malades ainsi atteints
dans cette ville.

MAÎTRE HENRI

Qui sont-ils?

LE MÉDECIN

Jean d'Auteville,
Guillaume Wagon, et le troisième
se nomme Adam L'Antier.
Chacun est malade de cela
parce qu'il remplit trop son outre;
et c'est pourquoi tu as le ventre enflé ainsi.

DAME DOUCHE [1]

Cher maître, conseillez-moi aussi
et prenez de mon argent,
car le ventre aussi me tend
si fort que je ne puis aller.
J'ai apporté mon urine
de trois lieues pour vous la montrer.

LE MÉDECIN

Ce mal vient de se coucher sur le dos,
Dame; c'est ce que dit cet urinal.

---

1. On a vu aussi, dans *Douche*, la forme picarde de « douce », adjectif qui deviendrait par antiphrase le nom de la mégère.

- **Le médecin : mise en scène**

**« Dieu y ait part » (v. 233) : formule employée couramment avant de commencer une action; mais le médecin la prononce au moment où il prend l'urinal, ce qui rend l'intention comique vraisemblable. Rappelons que les uniques accessoires du *Jeu de la feuillée* sont deux urinaux, un reliquaire, une roue de fortune.**

DAME DOUCHE

Vous en mentés, sire ribaus[1];
255 Je ne sui mie tel barnesse[2].
Onques pour don ne pour premesse
Tel mestier faire je ne vauc.

LI FISISIENS

Et j'en ferai warder ou pauc,
Pour acomplir vostre menchoigne.
260 Rainelet, il couvient c'on oigne
Ten pauc; lieve sus un petit.
Mais avant estuet c'on le nit.
Fait est. Rewarde en cheste crois
Et si di chou que tu i vois.

DAME DOUCHE

265 Bien voeil chertes c'on die tout.

RAINELÈS

Dame, je voi chi c'on vous fout.
Pour nului n'en chelerai rien.

LI FISISIENS

Enhenc! Dieus! je savoie bien
Comment li besoigne en aloit.
270 Li orine point n'en mentoit.

DAME DOUCHE

Tien. Honnis soit te rousse teste[3]!

RAINELÈS

Anwa? Che n'est mie chi feste.

---

1. *Ribaus :* « débauché », vient d'un verbe *riber* qui remonte à un verbe de l'ancien haut allemand signifiant « frotter, être en chaleur ». — 2. *Barnesse :* à la fois « femme de qualité » et « femme de mauvaise vie ». — 3. *Te rousse teste :* dans l'ancienne langue, l'adjectif de couleur était placé généralement avant le substantif déterminé. La tendance se renverse au XVIe siècle. Il en subsiste des traces : un rouge-gorge.

DAME DOUCHE

Vous en avez menti, sire ribaud;
je ne suis pas une femme de ce genre.
Jamais, ni pour don ni pour promesse,
je n'ai voulu faire ce métier.

LE MÉDECIN

Eh bien, je ferai regarder au pouce [1]
pour faire apparaître votre mensonge.
Rainelet, ils convient qu'on enduise
ton pouce. Lève-le un peu [2].
Mais avant il faut le nettoyer.
C'est fait. Regarde dans cette croix [3]
et dis ce que tu y vois.

DAME DOUCHE

Je veux bien certes que l'on dise tout.

RAINELET

Dame, je vois ici qu'on vous étreint [4].
Pour personne, je n'en cacherai rien.

LE MÉDECIN

Hé! Hé! par Dieu, je savais bien
comment allait l'affaire.
L'urine ne mentait point.

DAME DOUCHE

Tiens. Honnie soit ta tête rousse!
(*Elle donne un soufflet à Rainelet.*)

RAINELET

Hola! Ce n'est pas la fête ici.

---

1. *Warder ou pauc :* pratique de sorcellerie; « on frottait d'huile ou de cire le pouce d'un jeune garçon, on exposait à la lumière le pouce ainsi enduit, on le nettoyait légèrement, puis on examinait les figures qu'avait formées l'huile ou la cire, et l'on y distinguait — à condition d'être habile — ce qu'il s'agissait de prédire » (H. Guy). — 2. Autre traduction possible : « lève-toi ». — 3. *Croix* tracée sur le pouce de Rainelet. — 4. Autre exemple, après le vers 44, de la crudité de langage de nos anciens auteurs. La traduction doit nécessairement adoucir.

Cette scène de l'auscultation et les figures d'anatomie de la page ci-contre prouvent que l'on se préoccupait aussi de la vie du corps au Moyen Age (voir *Satire de la médecine*, l. 5).

*Chantilly, Musée Condé*
*Photos © Giraudon*

- **Satire de la médecine**

**M. Jean Starobinski écrit** *(Histoire de la médecine) :* **« ... La stagnation de la science médicale au Moyen Age ne tient pas seulement à l'oubli des méthodes de la recherche scientifique; il faut également tenir compte d'un choix de valeurs : à la lumière de la foi chrétienne, c'est moins de la vie du corps que de celle de l'âme qu'il faut se préoccuper. » N'est-on point, en effet, frappé par le souci de moraliser qui inspire parfois** *li fisisiens*? **A Dame Douche qui l'interroge sur son état, il rend un diagnostic qui est d'abord un jugement sur les mœurs de la patiente (v. 252-253).**

**Archimateus, qui enseignait, au XIe siècle, à la fameuse école de médecine de Salerne, disait à ses élèves : « Au patient, promettez la guérison; à ceux qui l'assistent, affirmez qu'il est fort malade : s'il est guéri, votre réputation s'en accroît; s'il succombe on ne manquera point de dire que vous avez prévu sa mort. »**

**① Dans quelle mesure notre médecin ne pratique-t-il pas ces sages préceptes, que l'on pourrait qualifier de « commerciaux »?**

*Li fisisiens* **est un clerc. « La condition des médecins fut longtemps régie par l'Église. Presque tous les médecins appartenaient aux ordres. La plupart étaient chanoines, et quand il y en eut de laïcs, ils furent d'abord tenus au célibat, et ce ne fut qu'en 1462 que le cardinal d'Estouteville leur permit le mariage » (René Dumesnil,** *Histoire illustrée de la médecine*). **Le même auteur écrit, à propos de la médecine médiévale : « La thérapeutique est celle des Anciens et des Arabes. Très souvent s'y ajoutent des pratiques magiques. L'imagination invente des formules étranges. » Le médecin du** *Jeu* **semble donc bien avoir été représentatif de sa profession.**

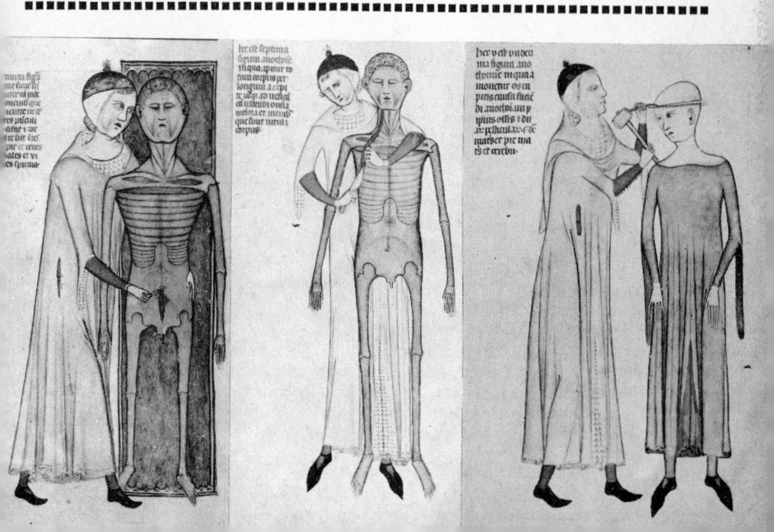

LI FISISIENS

Ne t'en caut, Rainelet, biaus fieus.
Dame, par amours, ki est chieus
275 De cui vous chel enfant avés?

DAME DOUCHE

Sire, puis ke tant en savés,
Le sourplus n'en chelerai ja.
Chieus vieus leres [1] le waaigna,
Si puisse jou estre delivre.

RIKIERS

280 Ke dit chele feme? Est ele ivre?
Me met ele sus sen enfant?

DAME DOUCHE

Oie.

RIKIERS

N'en sai ne tant ne quant.
Quant fust avenus chieus afaires?

DAME DOUCHE

Par foi, il n'a encore waires.
285 Che fu un peu devant quaresme.

GILLOS

Ch'est trop boin a dire vo feme,
Rikier; li volés plus mander?

1. *Leres :* cas-sujet de larron, avec un *s* analogique de la déclinaison « murs, mur ». *Latro*, *latronem* donne *lerre*, *larron*. *Vieus* peut être aussi bien le cas sujet singulier de *vil* que de *viel*.

- **Le personnage du médecin (v. 200-275)**

**Discuter ce jugement d'Henri Guy : « On trouve chez le physicien quelques-uns des traits que Molière s'est plu à peindre dans ses rôles de médecins : jactance, charlatanisme, bavardage solennel et savant. Écoutez plutôt parler le brave docteur arrageois : « Je suis, prononce-t-il, un maître bien achalandé. Des pratiques, j'en ai *amont et aval*, et je les guérirai. »**

LE MÉDECIN

N'en fais pas cas, Rainelet, cher fils.
Dame, pour l'amour de vous, quel est celui
de qui vous avez cet enfant?

DAME DOUCHE

Sire, puisque vous en savez tant,
je ne vais pas vous cacher le surplus.
Ce vieux larron l'engendra,
aussi vrai que je voudrais être délivrée.

RIQUIER

Que dit cette femme? Est-elle ivre?
M'attribue-t-elle son enfant?

DAME DOUCHE

Oui.

RIQUIER

Je n'en sais ni le début ni la fin.
Quand cette affaire serait-elle arrivée?

DAME DOUCHE

Ma foi, il n'y a guère encore.
Ce fut un peu avant le Carême.

GILLOT

C'est très bon à dire à votre femme,
Riquier : avez-vous plus à lui faire dire?

**Il ne dit pas : « Voulez-vous que je vous traite? » il dit : « Voulez-vous que je vous sauve? » Le consulte-t-on? Il n'examine rien, il n'hésite pas, il a le diagnostic foudroyant : « Bien sai de coi estes malades. » Du premier coup, il met le doigt sur la plaie : « Tu as le mal saint Lienart. » Une fois la sentence rendue, il ne démordra point de son avis. Un regard lui a suffi, et il penserait s'abaisser s'il scrutait le cas davantage. Et quand il est démontré qu'il a vu juste, quels cris de triomphe il pousse! « Ah! ah! je savais bien, moi, comment allait la besogne! » Il aime à discourir, à prodiguer les conseils. »**

**M. Frappier est moins sévère : « Moraliste autant que médecin, il diagnostique les maux des âmes comme ceux des corps » (*Le Théâtre profane...*).**

RIKIERS

Ha! gentieus hom, laissiés ester.
Pour Dieu, n'esmouvés mie noise [1].
290 Ele est de si male despoise
K'ele croit chou ke point n'avient.

GILLOS

A Dieu foi, bien ait cui on crient!
Je tieng a sens et a vaillanche
Ke les femes de le Waranche [2]
295 Se font cremir et ressoignier.

HANE

Li feme aussi Mahieu L'Anstier,
Ki fu feme Ernoul de le Porte,
Fait ke on le crient et deporte.
Des ongles s'aïe et des dois
300 Vers le baillieu de Vermandois.
Mais je tieng sen baron a sage
Ki se taist.

RIKIERS

Et en che visnage
A chi aussi deus baisseletes.
L'une en est Margos As Pumetes,
305 Li autre Aelis Au Dragon.
Et l'une tenche sen baron.
Li autre quatre tans parole.

GILLOS

A! vrais Dieus! aporte une estole :
Chieus a nommé deus anemis.

HANE

310 Maistre, ne soiés abaubis
S'il me couvient nommer le voe.

---

1. *Noise :* étymologie probable *nausea*, « mal de mer ». Au Moyen Age, sens de « bruit, tapage »; ne survit plus que dans la locution « chercher noise » = chercher querelle. — 2. Rue de la *Waranche* ou de la Garance, aujourd'hui rue des Trois-Vierges à Arras.

RIQUIER

Ah! homme noble, restez tranquille.
Par Dieu, ne faites pas de scandale.
Elle est de si mauvaise nature
qu'elle croit ce qui n'arrive pas.

GILLOT

Par Dieu! Heureux celui qu'on craint!
Je tiens à bon sens et à vaillance
que les femmes de la Waranche
se fassent craindre et redouter.

HANE

La femme de Mathieu Lanstier[1] aussi,
qui fut la femme d'Ernoul de la Porte,
fait qu'on la craint et qu'on la ménage.
Elle s'aide des ongles et des doigts
contre le bailli de Vermandois,
et je tiens pour sage son mari
qui se tait.

RIQUIER

Et dans ce voisinage
il y aussi deux bachelettes.
L'une d'elle est Margot des Pommettes[2]
et l'autre Aelis du Dragon.
Et l'une tance son mari,
et l'autre parle quatre fois plus.

GILLOT

Ah! vrai Dieu! apporte une étole[3].
Il a nommé deux ennemis.

HANE, *à Adam*

Maître, ne soyez pas étonné
s'il me convient de nommer la vôtre.

---

1. Riche bourgeois d'Arras appartenant à la puissante famille l'Antier (voir p. 48, note 3). On ne sait rien de plus sur *Ernoul de le Porte* et sur le bailli *de Vermandois* que ce qui en est dit dans le *Jeu*. — 2. *Margot* et *Aelis* devaient être des jeunes femmes habitant deux maisons voisines sur la place du marché: la maison des Pommettes et celle du Dragon. — 3. *Étole* pour exorciser le diable (l'ennemi).

ADANS

Ne m'en caut, mais k'ele ne l'oe.
S'en sai je bien d'aussi tenchans :
Li feme Henri des Arjans [1],
315 Ki grate et resproe c'uns cas.
Et li feme maistre Thomas [2]
De Darnestal, ki maint la hors.

HANE

Chestes ont chent diavles ou cors,
Se je fui onques fieus men pere.

ADANS

320 Aussi a dame Eve vo mere.

HANE

Vo feme, Adan, ne l'en doit waires.

LI MOINES

Seigneur, me sires sains Acaires [3]
Vous est chi venus visiter.
Si l'aprochiés tout pour ourer,
325 Et si meche cascuns s'offrande,
K'il n'a saint desi en Irlande
Ki si beles miracles fache;
Car l'anemi de l'ome encache
Par le saint miracle devin.

---

1 et 2. Noms connus à Arras. — 3. *Saint Acaire*, particulièrement invoqué pour guérir de la folie. Les malades mentaux fréquentaient à *Haspre* (v. 333) le monastère portant le nom de ce saint et où l'on en gardait les reliques. Rien, dans l'histoire d'Acaire, abbé de Jumièges, mort en 687 et dont la dépouille fut transférée à Haspre au moment des invasions normandes, n'explique pourquoi il était le saint guérisseur de la folie. En fait, son nom avait été rapproché de l'adjectif latin *acer* = « aigre, âcre », d'où « acariâtre » qui signifiait primitivement « possédé du démon, privé de raison ». « Saint Acaire guérissait l'humeur aigre, les gens affligés d'un caractère bizarre. Par un jeu de mots analogue, on invoquait Saint Cloud pour les clous, Saint Genou pour la goutte du genou, etc. » (Jean Frappier, *le Théâtre profane...*).

---

- **Les thèmes**

**① Étudiez comment se fait le passage d'un thème à l'autre : satire des gloutons (v. 228-245); le personnage de Dame Douche (v. 246-285); satire des femmes (v. 286-321).**

ADAM

Il ne m'en chaut, pourvu qu'elle ne l'entende pas.
J'en connais bien d'autres aussi querelleuses :
La femme d'Henri des Arjans
qui griffe et miaule[1] comme un chat.
Et la femme de maître Thomas
de Darnestal qui demeure là-bas hors de la ville.

HANE

Celles-là ont cent diables au corps,
si j'ai jamais été le fils de mon père.

ADAM

Dame Ève, votre mère, en a autant.

HANE

Votre femme, Adam, ne lui doit guère.

LE MOINE

Seigneurs, messire saint Acaire
vous est venu visiter ici,
ainsi approchez tous pour prier.
Et que chacun mette son offrande,
car il n'y a saint jusqu'en Irlande
qui fasse d'aussi beaux miracles;
il chasse l'ennemi de l'homme
par le saint miracle divin,

1. *Resproer* = miauler à plusieurs reprises, et non point « se hérisser » ni non plus « se rebiffer » comme le donnent les traductions Frappier-Gossart et Langlois.

- **Le comique**

  **Éléments matériels et gestuels : les urinaux (v. 230 et 253), la gifle donnée par Dame Douche à Rainelet (v. 271).**
  **Éléments verbaux : les mots à double sens comme *gesir* (v. 236), *le mal saint Liënart* (v. 234); les allusions à des personnalités de la ville.**
  **Comique de caractère : Dame Douche, « une courtisane, mais une courtisane vieille, fardée, *réparée* comme dit Croquesot (v. 595), querelleuse, batailleuse, grossière, décriée au point qu'il eût été oiseux de la ménager et qu'on était autorisé à la bafouer publiquement » (H. Guy, *Essai...*).**

- **Présence des personnages principaux — Maître Adam, qui n'avait plus dit un mot depuis le vers 194, prononce sept vers (312-317, et 320), il se taira jusqu'au vers 429, mais tout prouve qu'il reste sur la scène. Le médecin, lui, après une sortie discrète, réapparaîtra à l'auberge (v. 1001).**

330 Et si warist de l'esvertin [1]
Communement et sos et sotes.
Souvent voi des plus ediotes
A Haspre no moustier venir
Ki sont haitié au departir;
335 Car li sains est de grant merite;
Et d'une abenghete petite
Vous poés bien faire dou saint.

MAISTRE HENRIS

Par foi, dont lo jou c'on i maint
Walet, ains k'il voist empirant.

RIKIERS

340 Or cha, sus, Walet, passe avant;
Je cuit plus sot de ti n'i a.

WALÈS

Sains Akaires, ke Dieus kia,
Donne m'assés de pois pilés [2],
Car je sui, voi, un sos clamés,
345 Si sui mout liés ke je te voi,
Et si t'aporc, si con jè croi,
Biaus niés, un boin froumage cras;
Tout maintenant le mengeras.
Autre feste ne te sai faire.

MAISTRE HENRIS

350 Walet, foi ke dois saint Acaire,
Que vaurroies tu avoir mis

---

1. *Esvertin :* avertin, maladie de l'esprit qui rend emporté, furieux. — 2. *Pois pilés :* « Pois écrasés, purée. Cette expression, qui semble devoir être prise dans son sens littéral au vers 343 du *Jeu*, a diverses significations chez nos vieux écrivains. On appelait ainsi les farces et les soties à cause du mélange de folies et de choses sérieuses qui s'y rencontrait » (Montmerqué et Michel, *Théâtre français du Moyen Age*). Il y a une association d'idées assez mystérieuse, par ailleurs, entre les pois pilés et la folie. C'est parce qu'il est fou que Walet demande des pois pilés. Plus loin (v. 424) le Dervé dira à Maître Adam qu'il a l'air d'un pois cuit à l'eau.

---

- **Le moine**

**« Il est difficile d'apprécier si le moine est ou n'est pas un imposteur, si lui-même croit beaucoup à la vertu des reliques de saint Acaire, si de leur côté les personnages du *Jeu* les considèrent comme vraies ou comme fausses. Il est sûr du moins qu'elles ne sont pas traitées avec beaucoup de révérence et qu'on ne les prend guère au sérieux ni dans cette scène ni dans la suite de la pièce.** *Ces reliques promenées*, **écrit Bédier,** *ce moine*

et ainsi guérit de l'avertin
communément et fous et folles.
J'en vois souvent des plus idiots
venir à Haspre, notre monastère,
et en repartir guéris;
car le saint est de grand mérite;
et avec une petite pièce de monnaie
vous pouvez vous faire bien voir du saint.

MAÎTRE HENRI

Ma foi, je conseille donc qu'on y mène
Walet avant qu'il n'aille plus mal.

RIQUIER

Or ça, debout, Walet, passe devant,
je crois qu'il n'y a pas plus fou que toi.

WALET

Saint Acaire, fiente de Dieu [1],
donne-moi beaucoup de pois pilés,
car je suis, vrai, un fou déclaré.
Ainsi je suis très heureux de te voir,
et je t'apporte, comme je le crois,
beau neveu, un bon fromage gras.
Tu le mangeras sur-le-champ [2].
Je ne sais te faire autre fête.

MAÎTRE HENRI

Walet, foi que tu dois à saint Acaire,
que voudrais-tu avoir donné

1. Heureuse traduction d'Ernest Langlois. — 2. L'effet comique de cette phrase est affaibli par la traduction Frappier-Gossert : « Tout entier maintenant tu le mangeras »; on sait que c'est le moine qui mange les offrandes faites à saint Acaire.

*grotesque sous les quolibets et qui mendie pieusement, voilà un des mille témoignages de l'esprit à la fois anticlérical et dévot de ces bourgeois : ils se moquent de ces reliques mais ils les baisent.* **Ce n'est pas tout à fait exact : seuls deux *sots* (fous), inégalement sots d'ailleurs, s'approchent du reliquaire, seuls Dame Douche, Maître Henri et aussi quelques spectateurs rendent honneur aux reliques du saint en apportant des offrandes. Les autres personnages s'abstiennent ou se montrent railleurs » (Jean Frappier, *le Théâtre profane...*).**

**① Montrez l'importance de la réserve apportée par M. Frappier à la thèse de Joseph Bédier.**

**② Quelle conception se faisait-on de la folie au Moyen Age?**

Et tu fusses mais a toudis
Si boins menestreus con tes peres?

WALÈS

Biaus niés, aussi boins vïeleres
355 Vaurroie ore estre comme il fu
Et on m'eüst ore pendu
Ou on m'eüst caupé le teste.

LI MOINES

Par foi, voirement est chieus beste.
Droit a s'il vient a saint Acaire.
360 Walet, baise le saintuaire
Errant, pour le presse qui sourt [1].

WALÈS

Baise aussi, biaus niés, Walaincourt.

LI MOINES

Ho! Walet, biaus niés, va te sir.

DAME DOUCHE

Pour Dieu, sire, voeilliés m'oïr.
365 Chi envoient deus estrelins
Colars de Bailloel et Heuvins [2],
Car il ont ou saint grant fianche.

LI MOINES

Bien les connois trés kes enfanche,
K'aloient tendre as pavillons.
370 Metés chi devens ches billons
Et puis les amenés demain.

---

1. Bluff du moine, ironie de l'auteur, ou suggestion d'un jeu de scène : la foule qui se précipite auprès des reliques? — 2. On ne sait rien de *Colart de Bailleul;* en revanche *Heuvin* est un nom qui revient souvent dans les textes arrageois du XIIIe siècle. Dans deux pièces des *Chansons et Dits* il est question d'un Heuvin, célibataire endurci, et d'un autre, accusé d'avoir trompé le fisc. Il est aussi question d'un « Baude, fils le seigneur Heuvin » dans *les Congés* de Fastoul

et que tu sois désormais à toujours
aussi bon ménestrel que ton père?

WALET

Beau neveu, je voudrais être
aussi bon vielleux qu'il le fut,
quitte à ce que l'on m'ait pendu
ou que l'on m'ait coupé la tête.

LE MOINE

Ma foi, vraiment, celui-ci est bête.
Il a raison de venir à Saint-Acaire.
Walet, baise le sanctuaire
tout de suite, à cause de la foule qui arrive.

WALET

Baise aussi, beau neveu, Walaincourt.

LE MOINE

Ho! Walet, cher neveu, va t'asseoir.

DAME DOUCHE

Pour Dieu, Seigneur, veuillez m'entendre.
Colart de Bailleul et Heuvin
envoient ici deux estrelins [1]
car ils ont grande confiance dans le saint.

LE MOINE

Je les connais bien depuis l'enfance
quand ils allaient tendre aux papillons.
Mettez là-devant ces pièces de monnaie
et puis amenez-les demain.

---

1. Deux pièces de monnaie : voir le vers 370.

---

- **Satire des fous**

**① Recherchez, dans les propos de Walet, ce qui relève de la folie et ce qui appartient à la simulation.**

**② A quelle fin Maître Henri et Riquier ont-ils fait approcher Walet du sanctuaire ?**

---

l'orgue

MUSICIENS
AU
MOYEN AGE

la cornemuse

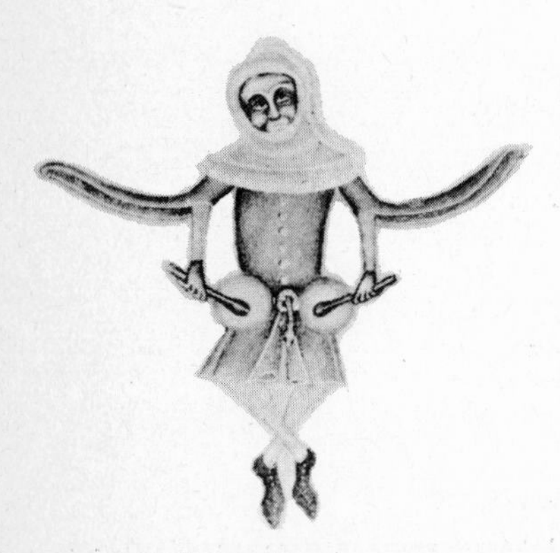

le tambourin

la vielle

*Photos*


*Beau neveu, je voudrais être*
*aussi bon vielleux qu'il le fut...* (v. 354-355)

La Gourmandise, dessin de P. Brueghel

*Chacun est malade de cela*
*parce qu'il remplit trop son outre...* (v. 243-244)

WALÈS

Vés chi pour Wautier A le Main[1].
Faites aussi priier pour lui;
Aussi est il malades hui
375 Du mal ki li tient ou chervel.

HANE

Or en faisons tout le veel,
Pour chou c'on dist k'il se coureche.

LI COMMUNS[2]

Moie!

LI MOINES

N'est il mais nus ki meche?
Avés vous le saint ouvlïé?

HENRIS DE LE HALE

380 Et vés chi un mencaut de blé
Pour Jehan Le Keu, no serjant[3].
A saint Acaire le commant :
Piech'a ke il li a voué.

LI MOINES

Frere, tu l'as bien commandé.
385 Et ou est il k'il ne vient chi?

HENRIS

Sire, li maus l'a rengrami,
Si l'a on un petit coukiét.

---

1. *A le Main* est un nom de famille connu à Arras dès le XIIe siècle, ma ne peut-on pas penser que *Wautier A le Main* est la même personne que *Vituli Wautier*, inscrit au nécrologe en 1278? *Veel* (*vitulus* = *veel*), à la rime au vers 37 et le beuglement du Commun invitent à le croire. — 2. *Li Communs :* c'éta le nom que l'on donnait au petit peuple dans les villes du Nord au Moyen Ag Mme Ungureanu a cru pouvoir affirmer qu'Adam de la Halle avait donné l parole au peuple dans sa pièce à l'occasion de la brève réplique *Moie!* Il e beaucoup plus vraisemblable que *Li Communs* désigne ici l'ensemble des spe tateurs de la pièce invités à reprendre en chœur le beuglement du veau. – 3. Un *Le Keus Jehan* est inscrit au nécrologe artésien en 1294. *Serjant* désign soit un homme d'armes appartenant à la police, soit un officier de justic

WALET

Voici pour Gauthier A le Main.
Faites aussi prier pour lui;
Aussi est-il malade aujourd'hui
du mal qui le tient au cerveau.

HANE

Faisons donc tous le veau
puisque l'on dit qu'il se fâche.

LE PUBLIC

Meuh!

LE MOINE

N'y a-t-il plus personne pour donner?
Avez-vous oublié le saint?

HENRI DE LA HALLE

Et voici une mesure de blé
pour Jehan Le Keu, notre sergent.
A saint Acaire je le recommande,
Il y a longtemps qu'il lui est voué.

LE MOINE

Frère, tu l'as bien recommandé.
Et où est-il qu'il ne vient ici?

HENRI

Seigneur, son mal a empiré
et on l'a un peu couché.

---

- **Satire des fous (v. 368-369, *suite*)**

**« ... Il serait vain de tendre des pièges aux papillons, dit M. Jeanroy; soit, mais on n'attrape pas non plus les oiseaux en leur mettant un grain de sel sur la queue; n'y a-t-il pas cependant des gens pour indiquer ce procédé de chasse à des enfants qui bonnement s'y essaient? Or à qui avons-nous ici affaire? à des clients de saint Acaire, et qui *ont ou saint grant fianche* (v. 367), autrement dit à des fous chroniques, à des sots invétérés, et qui sont tels dès *enfanche*. C'est là le sens de la réponse du moine, dont s'étonne M. Jeanroy. Ne serait-ce pas un trait de leur sottise d'avoir, au moins en leur « enfance », compris la chasse aux papillons comme une chasse au gibier comportant des pièges tendus? « Tendre aux papillons » serait une de ces antiphrases ironiques [...] dont le plaisant tient à la disconvenance entre le but à atteindre et le moyen proposé. Le comique du *Jeu de la feuillée* nous échappe souvent : il me paraît qu'ici nous pouvons l'atteindre » (Mario Roques, *Romania*, 1942-1943).**

---

Demain revenra chi a piét,
Se Dieu plaist, et il ara mieus.

LI PERES

390 Or cha, levés vous sus [1], biaus fieus,
Si venés le saint aourer.

LI DERVÉS [2]

Ke ch'est? Me volés vous tuer?
Fieus a putain, leres erites,
Creés vous la ches ypocrites?
395 Laissiés m'aler, car je suis rois.

LI PERES

Ha! biaus dous fieus, seés vous cois,
Ou vous arés des envïaus.

LI DERVÉS

Non ferai; je suis uns crapaus,
Et si ne mengüe fors raines.
400 Escoutés, je fach les araines [3] :
Est che bien fait? Ferai je plus?

LI PERES

Ha! biaus dous fieus, seés vous jus,
Si vous metés a genoillons,
Se che non, Robers Sommeillons [4],
405 Ki est nouviaus prinches du pui [5],
Vous ferra.

---

1. Indication scénique, le dervé et son père devaient être assis avec le public. — 2. *Li dervés :* pour M. Frappier, c'est un fou furieux : « Selon les médecins d'autrefois, les deux seules formes de la folie étaient la mélancolie et la frénésie (la folie douce et la folie furieuse). » — 3. Le fou imite alors une sonnerie de trompette. Il tient des propos à peu près incohérents qui rappellent « la sotte chanson » et le genre de la fatrasie qu'affectionnaient les trouvères d'Arras à la fin du XIIIe siècle. — 4. *Robert Sommeillon :* riche bourgeois d'Arras. Il appartenait à la haute bourgeoisie patricienne, c'est-à-dire qu'il se situait très loin du public et des personnages du *Jeu*, même les plus fortunés. — 5. Le *Pui* : société littéraire qui décernait des prix aux auteurs locaux. Elle était composée par des membres de la bourgeoisie patricienne. Henri Guy croyait que *le Jeu de la feuillée* avait été composé pour le Pui. L'orientation critique du *Jeu* à l'égard de la haute bourgeoisie arrageoise, mieux perçue aujourd'hui, rend invraisemblable cette hypothèse à laquelle cependant se rallie encore M. Henri Roussel : voir p. 185-186.

Demain il viendra ici à pied,
s'il plaît à Dieu, et il ira mieux[1].

LE PÈRE

Or ça! levez-vous, cher fils,
et venez adorer le saint.

LE FOU

Qu'est-ce? Voulez-vous me tuer?
ils de putain, voleur hérétique,
roypez-vous ces hypocrites?
aissez-moi aller car je suis roi.

LE PÈRE

h! cher fils, tenez-vous tranquille,
u vous aurez des coups.

LE FOU

e n'en ferai rien; je suis un crapaud,
t je ne mange que des grenouilles.
coutez je sonne de la trompette :
st-ce bien fait? le ferai-je davantage?

LE PÈRE

h! beau doux fils, restez en bas
t mettez-vous à genoux.
inon, Robert Sommeillon,
ui est nouveau prince du Pui [2],
ous frappera.

---

1. On peut comprendre aussi, comme Langlois, que demain Jehan Le Keu pportera davantage à saint Acaire, donc que la mesure de blé n'est qu'un compte. — 2. Il sera question de Robert Sommeillon au vers 720 : voir la ote 4, p. 104.

- **Le dervé**

**Henri Guy (thèse citée) fait remarquer qu'Adam de la Halle ne classe parmi les sots que des gens obscurs : en effet, seuls des subalternes y figurent. « Les notables, les chefs de parti, il les accusait au contraire d'avoir trop d'intelligence. »**

LI DERVÉS

Bien kiiet de lui.
Je sui mieus prinches k'il ne soit.
A sen pui canchon faire doit
Par droit maistre Wautiers As Paus [1],
410 Et uns autres leur paringaus
Ki a non Thomas de Clari [2].
L'autrier vanter les en oï.
Maistre Wautiers ja s'entremet
De canter par mi le cornet,
415 Et dit k'il sera couronés.

MAISTRE HENRIS

Dont sera chou au ju des dés,
K'il ne quierent autre deduit.

LI DERVÉS

Escoutés ke no vake muit.
Maintenant le vois faire prains.

LI PERES

420 Ha! sos puans, ostés vos mains [3]
De mes dras, ke je ne vous frape.

LI DERVÉS

Ki est chieus clers a chele cape?

1. La famille *As Paus*, très connue à Arras; sa puissance est attestée par l[e] fait qu'un échevin en était issu. — 2. On ne sait rien de plus sur ce personnag[e] que ce qui est écrit ici. — 3. Jeu de scène assez grossier, le dervé se précipit[e] sur son père dans l'attitude que l'on devine d'après le vers 419.

- **Robert Sommeillon (v. 404-407)**

**① Le nom de Robert Sommeillon apparaît ici pour la première fois dan[s] la pièce. Comment est-il amené? Quelle conclusion en tirer au sujet d[e] la composition du *Jeu de la feuillée?***

**② Le mot « nouveau », au vers 405, ne nous éclaire-t-il pas sur l[e] caractère de la pièce?**

LE FOU

On tombe bien avec lui [1].
Je suis meilleur prince qu'il ne l'est.
A son pui, maître Wautier As Paus
doit faire une chanson comme il en a le droit;
et un autre, leur pareil,
qui se nomme Thomas de Clari.
L'autre jour, je les ai entendus s'en vanter.
Maître Wautier déjà se mêle
de chanter dans le cornet [2],
et dit qu'il sera couronné.

MAÎTRE HENRI

Ce sera donc au jeu de dés
car ils ne cherchent d'autre plaisir.

LE FOU

Écoutez comme notre vache mugit.
Sur-le-champ je vais la rendre pleine.

LE PÈRE

Ah! sot puant, ôtez vos mains
de mes habits, ou je vous frappe.

LE FOU

Qui est ce clerc avec cette cape [3]?

---

1. Traduction conforme à celle de l'édition Frappier-Gossart, qui voit dans *kiiet* le verbe *caïr*, « tomber », et non point le verbe *kiier*, de *cacare* latin. La traduction Langlois, « c'est une belle défécation », est une métaphore que l'esprit général de la pièce rend vraisemblable mais elle malmène un peu la grammaire. — 2. Confusion recherchée entre le *cornet* à musique et le cornet à dés. — 3. La *cape* à laquelle on reconnaissait l'étudiant.

- **Le Pui (v. 405)**

  **Note de la traduction Langlois : « Le pui était une assemblée où l'on jugeait et couronnait des poésies présentées en vue de l'obtention de prix. Le président de l'assemblée était appelé prince. Robert Sommeillon, qui va être sérieusement malmené, n'assistait certainement pas à la représentation. »**

LI PERES

Biaus fieus, ch'est uns parisiens.

LI DERVÉS

Che sanle mieus un pois baiens.
Bau!

LI PERES

425 Ke ch'est? taisiés pour les Dames.

LI DERVÉS

S'il li souvenoit des bigames [1],
Il en seroit mains orgueilleus.

RIKIERS

En henc! maistre Adan, or sont deus.
Bien sai ke cheste chi est voe.

ADANS

430 Ke s'et il k'il blasme ne loe?
Point n'aconte a cose k'il die,
Ne bigames ne sui je mie.
Et s'en sont il de plus vaillans.

MAISTRE HENRIS

Chertes, li meffais fu trop grans
435 et cascuns le pape encosa,
Quant tant de boins clers deposa.

---

1. Il s'agit des clercs bigames. Voir ci-dessous.

- **Les clercs bigames**

**« Que faut-il entendre par un clerc bigame? La bigamie en cause, on l[e] devine, est assez différente du sens actuel de ce mot. Un clerc, simpl[e] tonsuré, pouvait prendre femme selon le droit canon (sans que le mariag[e] lui fût spécialement recommandé, car en principe sa véritable épous[e] devait rester de préférence la clergie). Mais il se rendait coupable de biga-mie s'il épousait une veuve ou si, devenu veuf, il se remariait. Ces inter-dictions se fondaient évidemment sur l'idée chrétienne et mystique d[u] mariage que ne saurait dissoudre la mort de l'un des époux. Ainsi le zèl[e] matrimonial des clercs tonsurés se trouvait, le cas échéant, entravé o[u]**

LE PÈRE

Beau fils, c'est un Parisien.

LE FOU

Il ressemble plutôt à un pois cuit à l'eau.
(*Il aboie.*)
Ouaou!

LE PÈRE

Qu'est-ce que c'est? Taisez-vous pour les Dames [1].

LE FOU

S'il se souvenait des bigames
Il en serait moins orgueilleux.

RIQUIER

Hé! Hé! maître Adam, en voilà deux.
Je sais bien que celle-ci est vôtre.

ADAM

Que sait-il pour blâmer ou louer?
Je ne tiens pas compte de chose qu'il dise.
Et je ne suis pas bigame [2].
Et pourtant le sont de plus considérables.

MAÎTRE HENRI

Certes le méfait fut très grand,
Et chacun accusa le Pape
Quand il déposa tant de bons clercs.

---

1. Sans doute les fées attendues pour cette nuit et qui pourraient s'effrayer de ces aboiements intempestifs. — 2. Adam n'a été marié qu'une fois.

**arrêté. Mais le concept de bigamie cléricale s'étendait encore à d'autres cas : bigame, le clerc tonsuré qui se mariait avec une femme de mauvaise vie, bigame celui qui pratiquait l'usure, c'est-à-dire le prêt d'argent à intérêt, quel que fût le taux de l'intérêt, bigame celui qui exerçait un métier jugé infâme ou peu recommandable, tenait par exemple une taverne, un cabaret. En effet, par manque de dignité, il compromettait la clergie et la religion, tombait dans une sorte d'adultère spirituel » (Jean Frappier,** *le Théâtre profane...*).

Ne pourquant n'ira mie ensi,
Car aucun se sont aati,
Des plus vaillans et des plus rikes,
440 Qui ont trouvees raisons frikes,
Qu'il prouveront tout en apert
Que nus clers par droit ne dessert
Pour mariage estre asservis [1];
Ou mariages vaut trop pis
445 Ke demourer en soignantage.
Comment ont prelat l'avantage
D'avoir femes a remuier
Sans leur previlege cangier,
Et uns clers si pert se frankise [2]
450 Par espouser en sainte eglise
Feme ki ot autre baron!
Et li fil a putain, laron,
Ou nous devons prendre peuture,
Mainent en pekiét de luxure
455 Et si goent de leur clergie!
Romme a bien le tierche partie
Des clers fais sers et amatis

GILLOS

Plumus [3] s'en est bien aatis,
Se se clergie [4] ne li faut,

---

1 et 2. Voir ci-dessous. — 3. *Plumus :* clerc bigame dont la femme est inscrit dans le nécrologe artésien, en 1286. — 4. *Clergie :* comme le remarque Ernes Langlois, il doit y avoir ici un jeu de mots, clergie signifiant à la fois l'état d clerc et l'ensemble des qualités intellectuelles attribuées au clerc.

---

- **Les clercs et leurs franchises**

**Le pape Grégoire X (mort en 1276) avait retiré les privilèges de « clergie aux clercs considérés comme indignes. Le plus important de ces privilège était l'exemption de la taille et en général de tout impôt. Comme il suffi sait, pour être clerc, d'être passé par l'Université, on voit combien devaien être nombreux les clercs ainsi exemptés de toute contribution. D'où le protestations des autorités municipales auprès du Saint-Siège, protestation qui, dans le troisième quart du XIII^e siècle, aboutirent à d'important retraits de privilèges. Mais les clercs se constituèrent en groupe de pres sion pour défendre leurs intérêts. Non sans succès souvent : ils représen taient une part importante de la population urbaine; Henri Guy exagèr sans doute quand il affirme qu'un habitant sur trois était clerc. On peu supposer que leurs privilèges fiscaux ne devaient pas les rendre populaire auprès du « Commun » c'est-à-dire le petit peuple des villes. Ce qui devai faciliter l'offensive de la haute bourgeoisie pour les ramener au statu fiscal normal. La catégorie des clercs ne constituait pas pour autant un**

Cependant il n'en ira pas ainsi
car certains se sont vantés,
parmi les plus haut placés et les plus riches,
qu'ils ont trouvé de solides raisons
par lesquelles ils prouveront tout clairement
que nul clerc ne mérite légalement
d'être réduit en esclavage parce qu'il est marié.
Or être marié est bien pis
que de demeurer en concubinage.
Comment! les prélats ont l'avantage
d'avoir des femmes de rechange
sans abandonner leur privilège,
et un clerc perd sa franchise [1]
s'il épouse devant la Sainte-Église
une femme qui eut un autre mari!
Et les fils de putain, les larrons
auprès de qui nous devons prendre nourriture
demeurent dans le péché de luxure
et pourtant jouissent de leur clergie [2].
Rome a bien réduit en servitude et abattu
le tiers des clercs.

GILLOT

Plumus s'en est bien vanté,
si sa clergie ne lui fait pas défaut,

1. Qualité d'homme libre, au Moyen Age; le franc homme s'oppose au serf. — 2. *Clergie :* privilèges attachés à la qualité de clerc.

**classe : il y avait des clercs pauvres et des clercs riches que liait une situation juridique complètement désuète et donc précaire. C'est cette catégorie sociale qui s'exprime dans *le Jeu de la feuillée.***
**Mais c'est un autre problème qu'aborde maître Henri dans cette tirade, celui des clercs nés en servitude. « Les clercs nés dans la servitude n'en sortaient pas en prenant les ordres mineurs. Ils ne les recevaient de leur évêque qu'en justifiant du consentement de leur maître. Mais tant que le clerc était dans les ordres mineurs, le droit du maître était suspendu. Ainsi les clercs nés serfs, qui, pour cause de bigamie, perdaient les privilèges de clergie, rentraient dans le domaine de leurs maîtres » (note de l'édition Montmerqué et Michel, *Théâtre français du Moyen Age*, 1839). On voit qu'il s'agit bien davantage ici que de la défense de privilèges fiscaux anachroniques : si l'on en croit maître Henri, c'est un tiers des clercs qui ont été ainsi réduits à la servitude, soit une notable fraction de la population. On remarquera la violence de maître Henri contre le haut clergé, mais aussi la parfaite logique de son argumentation, en particulier aux vers 444-445.**

460 K'il ravera che c'on li taut
Pour a metre un peson d'estoupes.
Li papes [1] ki en chou ot coupes
Est eüreus quant il est mors :
Ja ne fust si poissans ne fors
465 C'ore ne l'eüst deposé.
Mal li eüst onques osé
Tolir previlege de clerc,
Car il li eüst dit esprec,
Et si eüst fait l'escarbote [2].

HANE

470 Mout est sages s'il ne radote.
Mais Mados [3] et Gilles de Sains [4]
Ne s'en atissent mie mains.
Maistre Gilles iert avocas,
Si metera avant les cas
475 Pour leur previlege ravoir,
Et dit k'il livrera savoir
Se Jehans Crespins [5] livre argent.
Et Jehans leur a en couvent
K'il livrera de l'aubenaille,
480 Car mout iert dolans s'on le taille.
Chis fera du frait par tout fin.

MAISTRE HENRIS

Mais près de mi sont doi voisin,
En Chité [6], qui sont boin notaire,

---

1. Vraisemblablement Alexandre IV, qui avait donné raison aux échevins arrageois contre les clercs en ce qui concerne les impôts. — 2. *L'escarbote*, coléoptère qui fouille les excréments. Les clercs mariés étaient appelés « escarbots » parce qu'ils avaient quitté la fleur pour l'ordure. — 3. Sans doute, le beau-frère d'Adam de la Halle et le père de Jean Madot, poète arrageois. — 4. *Gilles de Sains :* un acte de 1275-1276 le mentionne comme avocat du chapitre d'Arras. — 5. *Jean Crespin :* clerc bigame appartenant à la haute bourgeoisie proche de l'échevinat; cela donne une idée de la grande variété sociale dans la catégorie des clercs. — 6. Comme la plupart des villes médiévales, Arras comprenait la cité (*chité*) et la ville.

- **Les clercs**

**Il est évident que Gillot parle ici (v. 458-469) avec dérision de ce *Plumus* qui devait être peu avisé et peu instruit (v. 459), avare sans doute puisqu'un *peson* était une petite unité de mesure et qu'un peson d'étoupe ne devait pas faire une grosse somme; vantard enfin.**

qu'il recouvrera ce qu'on lui a enlevé,
quitte à y mettre un peson d'étoupe.
Le Pape qui fit cette faute
est heureux d'être mort :
Il n'eût été si puissant ni si fort
que [Plumus] ne l'eût déposé.
Mal lui en eût pris d'oser
lui retirer son privilège de clerc
car il lui aurait dit « es prec[1] »
et aurait fait l'escarbot.

HANE

Il est très sage s'il ne radote,
mais Madot et Gilles de Sains
ne s'en vantent pas moins.
Maître Gilles sera l'avocat,
il mettra en avant les arguments
pour recouvrer leurs privilèges,
et il dit qu'il fournira son savoir
si Jean Crespin fournit de l'argent.
Et Jean leur a promis
qu'il livrera de son magot,
car il sera très chagrin si on le taille[2].
Celui-ci financera le tout.

MAÎTRE HENRI

Mais, près de moi, il y a deux voisins
dans la Cité qui sont bons notaires;

---

1. *Es prec :* Sans doute mot flamand, où l'on reconnaît la racine *spr* du verbe germanique « parler »; d'où le sens possible de : « cause toujours » (hypothèse proposée par M. René Louis). — 2. Si on le soumet à l'impôt de la *taille.*

**① Ne peut-on pas déceler un ton légèrement sarcastique dans les propos de Hane (v. 470-481)?**

**Il ne semble pas qu'Adam de la Halle ait cru beaucoup à la résistance et à la solidarité des clercs bigames, face au Saint-Siège et à l'échevinat d'Arras. Cependant l'une et l'autre ont été assez fortes pour faire reculer les magistrats de la ville : un jugement de Philippe le Hardi, en 1284, amnistiait les clercs pour toutes les sommes dues par eux jusqu'à cette date au titre de la taille, tout en les soumettant au droit commun pour l'avenir.**

Car il s'atissent bien de faire
485 Pour nient tous les escris du plait,
Car le fait tienent a trop lait
Pour chou k'il sont andoi bigame.

GILLOS

Ki sont il?

MAISTRE HENRIS

Colars Fousedame [1],
Et s'est Gilles de Bouvignies [2].
490 Chist noteront par aaties,
Ensanle plaideront pour tous.

GILLOS

Enhenc! Maistre Henri, et vous,
Plus d'une feme avés eüe,
Et, s'avoir volés leur aïde,
495 Metre vous i couvient du voe.

MAISTRE HENRIS

Gillot, me faites vous le moe?
Par Dieu! je n'ai goute d'argent :
Si n'ai mie a vivre granment,
Et si n'ai mestier de plaidier.
500 Point ne me couvient ressoignier
Les teilles pour cose ke j'aie [3].
Il prengnent Marïen Le Jaie,
Aussi sét ele plais assés.

GILLOS

Voire voir, assés amassés.

MAISTRE HENRIS

505 Non fach; tout emporte li vins.
J'ai servi lonc tans eskievins,
Si ne voeil point estre contre aus.

---

1. *Colars Fousedame*, notaire dont le patronyme nous renseigne sur l'absenc de pudeur de nos aïeux en matière d'onomastique, appartenait à la Carité de Ardents, congrégation. — 2. *Gilles de Bouvignies :* l'existence de ce personnag est attestée par divers actes de 1282, 1292, 1299. — 3. Maître Henri, pet employé communal, était trop pauvre pour payer la taille.

ils se font fort de faire pour rien
tous les écrits du procès,
car ils considèrent le fait comme très laid,
étant tous les deux bigames.

GILLOT

Qui sont-ils?

MAÎTRE HENRI

Colart Fousedame
et Gilles de Bouvignies.
Ils dresseront les actes à l'envi,
et tous deux plaideront pour tous.

GILLOT

Hé! Hé! Maître Henri, et vous,
vous avez eu plus d'une femme;
si vous voulez avoir leur aide,
il convient que vous y mettiez du vôtre.

MAÎTRE HENRI

Gillot, vous moquez-vous de moi?
Par Dieu! Je n'ai pas trace d'argent :
je n'ai pas à vivre longtemps,
et je n'ai pas besoin de plaider.
Point ne me convient de craindre les tailles
pour chose que j'aie.
Qu'ils prennent Marie Le Jaie [1].
Aussi bien en sait-elle assez en matière de procès [2].

GILLOT

Voire, voire, vous amassez beaucoup.

MAÎTRE HENRI

Non pas. Le vin emporte tout.
J'ai servi longtemps les échevins
et je ne veux point être contre eux.

---

1. Sans doute l'épouse d'Adam, belle-fille de Maître Henri. — 2. Les sentiments de Maître Henri à l'égard de sa bru ne semblent pas être de pure aménité (voir le vers 184); il ne manque pas une occasion de lui décocher une flèche.

Je perderoie anchois chent saus
Ke j'ississe de leur acort.

GILLOS

510 Toudis vous tenés au plus fort :
Chou wardes vous, maistre Henri.
Par foi, encore est che bien chi
Uns des trais de le vielle danse [1].

LI DERVÉS

A! hai! Chis a dit c'on me manse [2]
515 Le gueule. Je le vois tuer.

LI PERES AU DERVÉ

A! biaus dous fieus, laissiés ester.
Ch'est des bigames k'il parole.

LI DERVÉS

Et vés me chi pour l'apostole.
Faites le dont avant venir.

LI MOINES

520 Aimi! Dieus! K'il fait boin oïr
Che sot la! car il dist merveilles.
Preudon, dist il tant de brubeilles
Quant il est ensus de le gent [3]?

LI PERES

Sire, il n'est onques autrement.
525 Toudis rede il ou cante ou brait,
Et si ne sét onques k'il fait,
Encore sét il mains k'il dit.

---

1. Savoir *de le vieille danse :* être habile, madré. — 2. On notera au passage que le premier vers d'une réplique rime toujours avec le dernier vers de la réplique précédente. Ce procédé, constant dans le théâtre de cette époque lie fortement les répliques entre elles et s'apparente à « la reprise » que M. Deloffre a mise en évidence dans le théâtre de Marivaux; et c'est un moyen mnémonique « par lequel les entreparleurs, pour reprendre le mot de l'ancienne langue, se passent la rime en échangeant leurs répliques » (Jean Frappier). — 3. Premiers signes de l'irritation ressentie par le moine en présence du dervé irritation qui ne fera que croître.

Je perdrais plutôt cent sous
que de sortir de leurs bonnes grâces [1].

GILLOT

Toujours vous vous tenez au plus fort,
vous y prenez garde, maître Henri.
Ma foi, c'est encore bien là
un des traits de la vieille danse.

LE FOU

Ah! Haï! Celui-ci a dit qu'on me serre
la gorge. Je vais le tuer.

LE PÈRE DU FOU

Ah! beau doux fils, restez tranquille.
C'est des bigames qu'il parle.

LE FOU

Et me voilà pour le Pape [2].
Faites-le donc venir devant.

LE MOINE

Hélas! Dieu! qu'il fait bon entendre
ce fou-là! Car il dit merveille.
Prudhomme, dit-il tant de sornettes
quand il est loin des gens?

LE PÈRE

Sire, il n'est jamais autrement.
Toujours il délire ou chante ou brait,
et, s'il ne sait jamais ce qu'il fait,
encore sait-il moins ce qu'il dit.

---

1. La pusillanimité de maître Henri a inspiré à M. Frappier la réflexion suivante : « Saluons en passant la prudence de ce bon fonctionnaire qui ne veut pas se brouiller avec l'administration, le gouvernement » (*le Théâtre profane...*). — 2. Traduction Frappier-Gossart : « Et me voici pour parler au Pape »; traduction Langlois : « Me voici, pour demander raison au pape. » L'interprétation de Henri Guy est sensiblement différente : « Les rigueurs d'Alexandre IV à l'égard des bigames sont condamnées unanimement par les bourgeois de *la Feuillée*. Un seul personnage embrasse la cause du pape, et dit : « Et me voici, moi, pour l'apostole! » Ce champion du Saint-Siège, on le devine, c'est le fou. Ici l'ironie est voilée, mais fine. » Aussi ingénieuse soit-elle, cette interprétation n'emporte pas la conviction, du fait du vers suivant.

LI MOINES

Combien a ke li maus li prist?

LI PERES

Par foi, sire, il a bien deus ans.

LI MOINES

Et dont estes vous?

LI PERES

530 De Duisans [1].
Si l'ai wardé a grant meskief.
Eswardés k'il hoche le kief :
Ses cors n'est onques a repos.
Il m'a bien brisiét deus chens pos;
535 Car je sui potiers a no vile.

LI DERVÉS

J'ai d'Anseïs et de Marsile [2]
Bien oï canter Hesselin [3].
Di je voir? Tesmoing che tatin [4].
Ai je emploiét bien trente saus?
540 Il me bat tant, chis grans ribaus,
Ke devenus sui uns cholès [5].

LI PERES

Il ne sét k'il fait li varlès.
Bien i pert quant il bat sen pere.

LI MOINES

Biaus preudon, par l'ame te mere,
545 Fai bien : maine l'ent en maison.
Mais fai chi avant t'orison
Et offre du tien, se tu l'as,
Car il est de veillier trop las;
Et demain le ramenras chi,

1. Village à 6 km d'Arras. — 2. Personnages de chansons de geste. — 3. Jongleur de geste connu à Arras, inscrit au nécrologe artésien en 1293. — 4. Le fou frappe son père (vers 543). — 5. Petite boule pour jouer à un jeu encore connu dans le nord de la France, la choule ou la cholette (voir *Germinal* de Zola).

LE MOINE

Combien y a-t-il que le mal lui a pris?

LE PÈRE

Ma foi, Sire, il y a bien deux ans.

LE MOINE

Et d'où êtes-vous?

LE PÈRE

De Duisans.
Je l'ai gardé avec de grands ennuis.
Regardez comme il hoche la tête :
Son corps n'est jamais en repos.
Il m'a bien brisé deux cents pots,
car je suis potier dans notre ville.

LE FOU

J'ai bien entendu Hesselin
chanter d'Anseïs et de Marsile [1].
Dis-je vrai? témoin ce coup.
Ai-je bien employé trente sous?
Il me bat tant, ce grand ribaud,
que je suis devenu un choulet.

LE PÈRE

Il ne sait ce qu'il fait, le garçon.
On le voit bien quand il bat son père.

LE MOINE

Beau prudhomme, par l'âme de ta mère,
fais bien : emmène-le à la maison [2].
Mais avant fais ici ta prière
et offre de ton bien, si tu as quelque chose,
car il est très fatigué de veiller;
et demain tu le ramèneras ici,

---

1. *Chanter* la geste de... — 2. On se méprendrait si l'on croyait que le moine conseille de faire entrer le fou dans une maison spécialisée. Ce type d'établissement où l'on isole les malades n'existait au Moyen Age que pour les lépreux. Le grand « enfermement » des fous, à la suite d'un changement de l'attitude collective devant la folie, date du XVIIe siècle; voir à ce sujet le livre de Michel Foucault, *Histoire de la folie à l'âge classique*.

550 Quant un peu il ara dormi.
Aussi ne fait il fors rabaches.

LI DERVÉS

Dit chieus moines ke tu me baches?

LI PERES

Nenil. Biaus fieus, alons nous ent.
Tenés, je n'ai or plus d'argent.
555 Biaus fieus, alons dormir un pau,
Si prendons congiét a tous.

LI DERVÉS

Bau!

RIKECHE AURIS

K'est chou? Seront hui mais riotes?
N'arons hui mais fors sos et sotes?
Sire moines, volés bien faire?
560 Metés en sauf vo saintuaire.
Je sai bien se pour vous ne fust
Ke piech'a chi endroit eüst
Grant merveille de faerie :
Dame Morgue [1] et se compaignie
565 Fust ore assise a cheste tavle;

---

1. Voir ci-dessous : *les Trois Fées.*

- **Les trois fées, Morgue (ou *Morgane*), Maglore et Arsile, dominaient les destinées humaines, selon des croyances populaires fortement enracinées au Moyen Age. « Il est probable, par exemple, que les compatriotes du ménestrel dressaient véritablement, durant la nuit du 1er mai, une table pour les fées, et nous sommes en droit de croire qu'afin de les attendre les vieilles femmes de la ville s'assemblaient à la Croix-au-Pré. Ainsi cet épisode de *la Feuillée* n'est une fiction qu'à nos yeux » (Henri Guy, op. cité, p. 378). Selon cette hypothèse, Adam de la Halle aurait introduit dans sa pièce un élément folklorique vivant. Plutôt que le 1er mai, la fête de la Saint-Jean doit être retenue comme date de cette cérémonie peu chrétienne (l'atteste le vers 573, prononcé par le moine). La fée Morgue est surtout connue par les romans arthuriens, elle est la sœur du roi Arthur. C'est donc une fée d'un incomparable éclat. Elle a sous ses ordres des fées subalternes. Ayant reçu les leçons de l'enchanteur Merlin, elle a du goût pour les lettres. Mais elle souffre d'une étonnante prédisposition à se prendre d'amour et, malgré sa beauté, il arrive qu'on la trahisse; elle ne songe alors qu'à se venger. Son caractère vindicatif apparaît bien dans le *Lancelot en prose.* Adam de la Halle ne le retiendra pas.**

quand il aura un peu dormi.
Aussi bien ne fait-il que rabâcher.

LE FOU

Ce moine, dit-il que tu me battes?

LE PÈRE

Non. Beau fils, allons-nous-en.
Tenez, je n'ai pas davantage d'argent.
Beau fils, allons dormir un peu,
et prenons congé de tous.

LE FOU

Ouaou [1]!

RIQUIER AURIS

Qu'est-ce que c'est? n'y aura-t-il plus que querelles?
N'aurons-nous plus aujourd'hui que des fous et des folles?
Sire moine, voulez-vous bien faire?
Mettez en sûreté votre reliquaire.
Je sais bien que, si ce n'était pour vous,
depuis longtemps il y aurait en cet endroit
un grand prodige de féerie :
Dame Morgue et sa compagnie
seraient maintenant assises à cette table;

---

1. Voir p. 73, vers 425.

- **Riquier Auris et Adam préparent la réception des fées**

  **① Quelles notes nouvelles sont apportées ici au portrait de Riquier Auris?**
  **② Quelle attitude adopte-t-il à l'égard du moine?**
  **③ Qu'apprenons-nous sur les fées?**
  **④ Quels nouveaux traits de caractère fait apparaître le moine? par quelles expressions se traduisent-ils?**
  **⑤ Quel détail de mise en scène suggère le vers 574?**

  **Au cours de cette nuit, l'arrivée des fées a été retardée par le médecin et ses grotesques consultants, puis par le moine et les dévots de saint Acaire. « Toutes ces larves vont s'évanouir devant le rayonnement des fées, une bouffée d'air frais, magique, va dissiper cette atmosphère pesante de la ville aux gros sous. En insérant la féerie dans son *Jeu*, Adam traduit son espoir de libération, d'évasion » (Jean Frappier).**

Car ch'est droite coustume estavle
K'eles vienent en cheste nuit.

LI MOINES

Biaus dous sire, ne vous anuit :
Puis k'ensi est, je m'en irai.
570 Offrande hui mais n'i prenderai,
Mais souffrés viaus ke chaiens soie
Et ke ches grans merveilles voie.
Nes kerrai, si verrai pour coi.

RIKECHE

Or vous taisiés dont trestout coi.
575 Je ne cuit pas k'ele demeure.
Car il est aussi ke seur l'eure :
Eles sont ore ens ou kemin.

GILLOS

J'oi le maisnie Hellekin [1],
Mien ensïent, ki vient devant.
580 Et mainte clokete sonnant.
Si croi bien ke soient chi près.

LI GROSSE FEME

Venront dont les fees après.

GILLOS

Si m'aït Dieus. je croi c'oïl.

RAINELÈS *à Adan*

Aimi! sire, il i a peril.
585 Je vaurroie ore estre en maison.

---

1. La légende de la *maisnie Hellekin* est connue par de nombreux textes et légendes folkloriques du Moyen Age. Les variantes en sont du reste nombreuses. Il s'agirait d'une troupe de cavaliers maudits dans lesquels on a vu les mânes des morts. Mais la fable perdit vite son caractère terrifiant : « Dès le XIIIe siècle, certains écrivains ont été plutôt frappés par le caractère pittoresque et par l'étrangeté du mythe que par sa redoutable signification [...]. Encore que l'on attribuât volontiers à la maisnie les cataclysmes, les ouragans subits qui désolaient de nuit, un pays » (Henri Guy). « C'était en effet une sombre légende que celle de *la maisnie Hellequin.* Adam l'éclaire d'un rayon de grâce et d'enjouement. Au lieu du mugissement de la tempête il nous fait entendre la sonnerie de mille clochettes » (Jean Frappier). C'est de Hellequin que vient l'Arlequin de la comédie italienne.

Car c'est la coutume immuable
qu'elles viennent en cette nuit.

LE MOINE

Beau doux sire, ne soyez pas ennuyé :
puisqu'il en est ainsi, je m'en irai.
Pour aujourd'hui je ne prendrai plus d'offrandes,
mais souffrez du moins que je sois ici
et que je voie ces grands prodiges.
Je ne les croirai pas, mais je verrai pourquoi [1].

RIQUIER

Alors taisez-vous et tenez-vous coi.
Je ne pense pas qu'elles tardent
car il est à peu près l'heure :
elles sont maintenant en chemin.

GILLOT

J'entends la maînie [2] d'Hellequin,
me semble-t-il, qui vient devant,
et mainte clochette sonnant.
Je crois bien qu'ils sont près d'ici.

LA GROSSE FEMME [3]

Les fées viendront donc ensuite.

GILLOT

Par Dieu, je crois que oui.

RAINELET, *à Adam*

A moi! Seigneur, il y a péril.
Je voudrais maintenant être chez moi.

---

1. Traduction Langlois : « Je n'y croirai que si je les vois. » Il ne semble pas que le moine envisage de croire aux fées; sans doute veut-il dire que son incrédulité pourra désormais se fonder sur une expérience. C'est ainsi que Frappier-Gossart comprennent le vers 573 : « Bien sûr, je ne les croirai pas, mais je verrai comment les choses se passent. » — 2. *Maînie :* de *mansionata* = l'ensemble des habitants, de la maison, c'est-à-dire la « suite ». — 3. Sans aucun doute Dame Douche.

ADANS

Tais t', il n'i a fors ke raison.
Che sont beles dames parees.

RAINELÈS

En non Dieu, sire, ains sont les fees.
Je m'en vois.

ADANS

Sié ti, ribaudiaus.

CROKESOS

590 *Me siét il bien li hurepiaus* [1]?
K'est chou? N'i a il chi autrui?
Mien ensïent, decheüs sui
En chou ke j'ai trop demouré;
Ou eles n'ont point chi esté.
595 Dites, me vielle reparee :
A chi esté Morgue li fee,
Ne ele ne se compaignie?

DAME DOUCHE

Nenil, voir, je ne les vi mie.
Doivent eles par chi venir?

CROKESOS

600 Oïl, et mengier a loisir,
Ensi c'on m'a fait a entendre.
Chi les me couvenra atendre.

RIKECHE

A cui iés tu, di, barbustin [2]?

1. Le vers sera repris comme un refrain, par Croquesot : voir p. 116, v. 836. Sur le sens du mot *hurepiaus*. voir *le Personnage de Croquesot*, p. 90. — 2. *Barbustin :* petit barbu, jeune homme.

ADAM

Tais-toi, il n'y a rien que de naturel [1].
Ce sont de belles dames parées.

RAINELET

Au nom de Dieu, Seigneur, mais ce sont les fées.
Je m'en vais.

ADAM

Assieds-toi, petit ribaud.

CROQUESOT

*Me sied-il bien le chapeau ?*
Quest-ce? n'y a-t-il personne d'autre ici?
A mon avis, je suis trompé
pour avoir beaucoup tardé;
ou bien elles n'ont point été ici.
Dites, ma vieille réparée [2] :
Morgue la fée a-t-elle été ici,
elle et sa compagnie?

DAME DOUCHE

Non, vraiment, je ne les ai pas vues.
Doivent-elles venir par ici?

CROQUESOT

Oui, et manger à loisir,
Ainsi qu'on me l'a fait comprendre.
Il conviendra que je les attende ici.

RIQUIER

A qui es-tu, dis, jeune homme?

---

1. La traduction Langlois donne, pour le vers 586 : « Tais-toi, il n'y a rien à craindre. » La traduction Frappier-Gossart laisse de côté *il n'i a fors ke raison.* Il est évident qu'Adam veut rassurer Rainelet en ôtant tout caractère surnaturel à ce qui va se passer. D'où notre traduction. M. Frappier, dans *le Théâtre profane...*, commente ainsi « *Tais-toi, il ne se passe que des choses raisonnables* (*il n'i a fors ke raison*, v. 586), curieuse affirmation qui semble impliquer une croyance tranquille dans la réalité des fées, et, mieux encore, une sorte d'euphorie, d'espoir secret mis dans leur gracieuse venue. » — 2. Que suggère ce qualificatif?

CROKESOS

Ki? Jou?

RIKECHE

Voire.

CROKESOS

Au roi Hellekin,

605 Ki chi m'a tramis en message
A me dame Morgue le sage,
Ke me sire aime par amour;
Si l'atenderai chi entour,
Car eles me misent chi lieu.

RIKECHE

610 Seés vous dont, sire courlieu.

CROKESOS

Volentiers, tant k'eles venront.
O! vés les chi.

RIKIERS

Voirement sont.
Pour Dieu, or ne parlons nul mot.

MORGUE

A bien viegnes tu, Crokesot[1].
615 Ke fait tes sires Hellekins?

1. Les fées entrant en scène n'aperçoivent que Croquesot.

- **Le personnage de Croquesot**

**« S'il est vrai que *crokepois* (v. 1090) signifie « bâton ferré » et « coup de bâton » (Langlois, *Feuillée*, p. 74), *crokesos* n'est-il pas « le balai des fous », mais un balai dont les coups ne font pas mal? Il est le héraut des Dames. S'il est vrai qu'elles sont des Mères surgissant d'une couche d'images archétypiques au-delà du bien et du mal, leur héraut vient de la même région. Du point de vue de la mythologie comparée, il est le parent d'Hermès Chthonios, héraut de Mères à culte propitiatoire et dominateur des esprits malins qu'il endort de son bâton [...]. Crokesot n'a pas de bâton, mais il a le *hurepiaus* (v. 590 et 836). Ce mot, d'étymologie incertaine, signifie peut-être la « chape d'Hellequin ». Elle vient de loin cette chape. La question de Crokesot : *Me siét il bien li hurepiaus?* est analogue à *Sedat mihi bene capucinium?* — formule de caractère très ancien et**

CROQUESOT

Qui? moi?

RIQUIER

Certes.

CROQUESOT

Au roi Hellequin,
qui ici m'a envoyé en messager
à madame Morgue la Sage,
que mon seigneur aime d'amour;
je l'attendrai par ici
car elles m'ont donné rendez-vous en ce lieu.

RIQUIER

Asseyez-vous donc, sire messager.

CROQUESOT

Volontiers, jusqu'à ce qu'elles arrivent.
Oh! les voici.

RIQUIER

Ce sont elles, en effet.
Par Dieu, ne disons plus un mot maintenant[1].

MORGUE

Sois le bienvenu, Croquesot.
Que fait ton seigneur Hellequin?

---

1. Jusqu'à l'arrivée de Dame Douche (v. 849) personne ne s'adressera aux fées, qui n'appartienne au monde de la légende et du merveilleux. On peut supposer que seuls restent présents sur la scène, en témoins muets, maître Adam, Riquier Auris, Rainelet et le moine. Si Croquesot a échangé quelques propos avec Riquier, seule Dame Douche s'entretiendra avec les fées; cela donne à penser qu'elle n'est pas étrangère à la sorcellerie.

**magique dont se servait la gens Allequina. Cette chape mystérieuse pourrait nous rappeler *chele cape* d'Adam remarquée par le dervé (v. 422), et par Crokesot lui-même (v. 655). D'autre part, Harlequin a été mis en relation avec « Armand » et le « mari trompé » [...]. Quoi qu'il en soit, il y a eu les sots et les sottes, et une clameur à ne plus s'entendre, mais cela n'est rien, — puisqu'il y a Crokesot qui calme les ribauds, qui les tranquillise de coutume immémoriale » (Alfred Adler, *Sens et Composition...*).**

Œuvres de Guillaume de Machault (XIVe siècle)

*Tiens, je suis assise à un bout*
*où l'on n'a point mis de couteau.* (v. 628-629)

B. N. Ph. © Giraudon

Miniature du *Roman de la Rose*

LES FÉES *chantent*. — *Par là va la gentillesse*
*Par là où je vais.* (v.874-875)

CROKESOS

Dame, ke vostres amis fins.
Si vous salue; ier de lui mui.

MORGUE

Dieus beneïe vous et lui!

CROKESOS

Dame, besoigne m'a carquie
620 Qu'il veut que de par lui vous die,
Si l'orrés quant il vous plaira.

MORGUE

Crokesot, sié t'un petit la;
Je t'apelerai maintenant.
Or cha, Maglore, alés avant,
625 Et vous, Arsile, d'après li,
Et jou meïsmes serrai chi,
Encoste vous en che debout[1].

MAGLORE

Vois, je sui assise de bout,
Ou on n'a point mis de coutel[2].

MORGUE

630 Je sai bien ke j'en ai un bel.

ARSILE

Et jou aussi.

MAGLORE

Et k'est che a dire
Ke nul n'en ai? Sui je li pire?

1. Les fées s'installent à la table préparée pour elles par Riquier et maître Adam; on notera que Maglore va s'asseoir au plus loin de Morgue. — 2. Absence d'autant plus déplorable que l'on ignorait alors l'usage de la fourchette; un convive privé de couteau ne pouvait pas participer au repas : d'où ce sentiment d'exclusion dont souffre Maglore, renforcé encore par le contentement des deux autres fées (v. 630 et 631). Plus que du manque de couteau, Maglore est offensée de la discrimination dont elle fait l'objet, discrimination qu'elle ne peut comprendre que de la façon la plus défavorable pour son amour-propre.

CROQUESOT

Ce que fait votre fin ami [1].
Il vous salue; je l'ai quitté hier.

MORGUE

Dieu vous bénisse, vous [2] et lui!

CROQUESOT

Dame, il m'a chargé d'une affaire
dont il veut que je vous parle de sa part,
vous l'entendrez quand il vous plaira.

MORGUE

Croquesot, assieds-toi un peu là;
je t'appellerai tout de suite.
Or ça, Maglore, passez devant,
et vous Arsile, après elle,
moi-même je vais m'asseoir ici,
à côté de vous, à ce bout.

MAGLORE

Tiens, je suis assise à un bout
où l'on n'a point mis de couteau [3].

MORGUE

Je sais bien que j'en ai un beau.

ARSILE

Et moi aussi.

MAGLORE

Et qu'est-ce à dire
que je n'en aie point? Suis-je la pire?

---

1. Entre le vers 615 et le vers 616 il y a un jeu de mots sur le verbe « faire », pris au vers 615 dans son sens courant, et au vers 616 formant avec la conjonction « que » une locution verbale signifiant « se conduire comme », « agir en »; « fin » est à prendre dans le sens de « parfait » comme dans le vocabulaire de l'amour courtois. — 2. S'adressant à Croquesot, Morgue passe du *tu* au *vous* sans intention particulière. — 3. On rapprochera cet oubli d'un épisode de *La Belle au bois dormant* de Perrault où une fée ne reçoit point en cadeau, comme les autres fées, un couteau artistement ciselé. Toute influence d'Adam de la Halle sur Perrault étant exclue, il faut admettre un fond folklorique commun où l'un et l'autre auraient puisé à quatre siècles d'intervalle.

Si m'aït Dieus, peu me prisa
Ki estavli ne avisa
635 Ke toute seule a coutel faille.

MORGUE

Dame Maglore, ne vous caille,
Car nous de cha en avons deus.

MAGLORE

Tant est a mi plus grans li deus,
Quant vous les avés et jou nient.

ARSILE

640 Ne vous caut, dame; ensi avient.
Je cuit c'on ne s'en donna warde.

MORGUE

Bele douche compaigne, eswarde
Ke chi fait bel et cler et net [1].

ARSILE

S'est drois ke chieus ki s'entremet
645 De nous appareillier tel lieu
Ait biau don de nous [2].

MORGUE

Soit par Dieu.
Mais nous ne savons ki chieus est.

CROKESOS

Dame, anchois ke tout chou fust prest,
Ving je chi si ke on metoit
650 Le tavle et c'on appareilloit;
Et doi clerc s'en entremetoient.

---

1. Elle s'adresse à Arsile, sans doute pour changer une conversation que l'humeur vindicative de Maglore risquait de rendre interminable. — 2. Ces vers introduisent le thème du don des fées.

Par Dieu, peu me prisa
celui qui établit et décida
que seule je manque de couteau.

MORGUE

Dame Maglore, ne vous inquiétez pas,
car nous, de ce côté, en avons deux.

MAGLORE

Le chagrin est pour moi d'autant plus grand
que vous en avez, vous, et moi pas [1].

ARSILE

Ça n'a pas d'importance, Dame, cela arrive.
Je pense que l'on n'y a pas pris garde.

MORGUE

Belle douce compagne, regarde
Comme tout ici est beau, clair et propre.

ARSILE

Il est juste que celui qui prend soin
de nous préparer un tel lieu
reçoive un beau don de nous.

MORGUE

Qu'il en soit ainsi par Dieu.
Mais nous ne savons qui il est.

CROQUESOT

Dame, avant que tout cela soit prêt,
j'arrivai ici alors qu'on mettait la table [2]
et que l'on faisait les préparatifs;
et deux clercs s'y occupaient.

---

1. Les fées sont traditionnellement susceptibles. « On observe chez Maglore la susceptibilité qui est presque l'unique défaut des fées [...]. Par contre Arsile et Morgue elle-même ont une âme bonne et tendre, beaucoup de simplicité, de gaieté » (Henri Guy). — 2. « Mettre la table » : non point y déposer les couverts, mais installer les tréteaux; sens habituel au Moyen Age.

S'oï ke ches gens apeloient
L'un de ches deus Rikeche Auri,
L'autre Adan, fil maistre Henri;
655 S'estoit en une cape chieus [1].

ARSILE

S'est bien drois k'il leur en soit mieus,
Et ke cascune un don i meche.
Dame, ke donrés vous Rikeche?
Commenchiés.

MORGUE

Je li doins don gent :
660 Je voeil k'il ait plenté d'argent.
Et de l'autre, voeil k'il soit teus
Ke che soit li plus amoureus [2]
Ki soit trouvés en nul païs.

ARSILE

Aussi voeil je k'il soit jolis [3]
665 Et boins faiseres de canchons.

MORGUE

Encore faut a l'autre uns dons.
Commenchiés.

ARSILE

Dame, je devise
Ke toute se markeandise [4]
Li viegne bien et monteplit.

---

1. Ce passage contient des indications scéniques rétrospectives. Riquier Auris et Maître Adam préparaient la salle pour les fées à l'arrivée de Croquesot. L'un et l'autre sont appelés clercs, ce qui nous renseigne sur le milieu social dont est issu *le Jeu de la feuillée.* Adam est toujours présenté comme celui qui porte la cape, cape des étudiants, cape aussi de celui qui pense toujours au départ. — 2. Voir ci-dessous. — 3. Voir note au vers 64. — 4. Tout suggère, dans ce passage, que le *clerc* Riquier Auris est un commerçant auquel on ne peut rien souhaiter de mieux que la prospérité de ses affaires.

---

- **« Li plus amoureus » (v. 662)**

**« Quel est le sens d'*amoureus?* [...] Il est impossible de croire que Morgue conseille au poète marié d'oublier sa femme et de prendre ses ébats amoureux [...]. *Amoureus,* comme me l'a suggéré M. Jean Frappier, peut signifier *courtois*, plein de la joie que cause une inspiration amoureuse et lyrique [...]. D'autre part *jolis et boins faiseres de canchons* ne semble que souligner et nuancer un peu le sens d'*amoureus :* poète courtois, Adam**

J'entendis que ces gens [1] appelaient
l'un de ces deux Riquier Auris,
l'autre Adam, le fils de maître Henri;
celui-ci était en cape.

ARSILE

Il est bien juste qu'il leur en vienne avantage,
et que chacune y mette un don.
Dame, que donnerez-vous à Riquier?
Commencez.

MORGUE

Je lui fais un don de prix :
Je veux qu'il ait abondance d'argent.
Et pour l'autre, je veux qu'il soit tel
que ce soit le plus amoureux
qu'on puisse trouver en aucun pays.

ARSILE

Je veux aussi qu'il soit gai
et bon faiseur de chansons.

MORGUE

Il faut encore un don à l'autre.
Commencez.

ARSILE

Dame, je désire
que tout son commerce
lui vienne bien et multiplie.

1. Ces gens : peut-être Croquesot désigne-t-il ici le public, dont les fées sont cependant sensées ignorer la présence. A ce moment, la scène elle-même ne comprend plus que des personnages de la légende, mais à aucun moment on n'oublie que les hommes sont là témoins plus que spectateurs.

**doit composer des chansons d'allure courtoisement joyeuse, chansons d'amour courtoises. Mais alors, ces Dames ne se rendent-elles pas compte que c'est pour des études sérieuses, pour apprendre, qu'il va à Paris? Très vraisemblablement, ces Dames, non plus qu'Adam lui-même dont elles reflètent la pensée, ne voient pas la nécessité de distinguer entre la poésie et le domaine du savoir, la philosophie, la théologie, bref, le vrai [...]** *aprendre* **(v. 181), retourner** *au clergiét* **(v. 2),** *se reconnaître* **(v. 171) le clerc, ce sont donc à peu près les mêmes aspirations que d'être** *amoureus* **(v. 662),** *jolis* **(v. 664), et** *boins faiseres de canchons* **(v. 665) (Alfred Adler,** *Sens et Composition...*, **p. 9 et 10).**

MORGUE

670 Dame, or ne faites tel despit
K'il n'aient de vous aucun bien.

MAGLORE

De mi, chertes, n'aront il rien.
Bien doivent fallir a don bel
Puis ke j'ai falli a coutel.
675 Honnis soit ki rien[1] leur donra!

MORGUE

Ha! dame, che n'avenra ja
K'il n'aient de vous coi ke soit.

MAGLORE

Bele dame, s'il vous plaisoit,
Orendroit m'en deporteriés.

MORGUE

680 Il couvient ke vous le fachiés,
Dame, se de rien nous amés.

MAGLORE

Je di ke Rikiers soit pelés
Et k'il n'ait nul cavel devant[2].
De l'autre, ki se va vantant
685 D'aler a l'escole a Paris,
Voeil k'il soit si atruandis
En le compaignie d'Arras
Et k'il s'ouvlit entre les bras
Se feme, ki est mole e tenre,
690 Si k'il perge et hache l'apenre
Et meche se voie en respit.

1. *Rien :* ici sens positif; ce n'est qu'au contact de la négation *ne* que *rien* substantif issu de *rem* latin, deviendra d'abord auxiliaire de négation, pui mot négatif. — 2. Ce souhait ne suggère-t-il pas que la calvitie de Riquie était déjà assez avancée et qu'il avait le front dégarni? D'où le comique possibl pour ceux qui connaissaient le personnage.

MORGUE

Dame, ne leur témoignez pas un tel dépit
qu'ils n'aient de vous aucun bienfait.

MAGLORE

De moi, certes, ils n'auront rien.
Ils doivent bien manquer d'un beau don
puisque j'ai manqué d'un couteau.
Honni soit qui leur donnera quelque chose.

MORGUE

Ah! Dame, cela n'adviendra pas
qu'il n'ait de vous quoi que ce soit.

MAGLORE

Belle Dame, s'il vous plaisait,
vous m'en dispenseriez tout de suite.

MORGUE

Il convient que vous le fassiez,
Dame, si vous nous aimez un peu.

MAGLORE

Je dis que Riquier soit pelé
et qu'il n'ait plus de cheveux sur le devant de la tête.
De l'autre, qui se vante
d'aller à l'école à Paris,
je veux qu'il soit si encanaillé
dans la société d'Arras
et qu'il s'oublie si bien entre les bras
de sa femme, qui est molle et tendre,
qu'il en perde le goût du savoir et le haïsse
et qu'il ajourne son voyage.

---

- **La troisième fée (v. 682-691)**

**« Mais il reste la troisième fée, la fée catastrophique [...]. Elle veut en somme qu'il [Riquier] se conduise en clerc *recréant*, de même que, dans le roman de Chrétien de Troyes, Érec, trop amoureux d'Énide, oubliait ses devoirs de chevalier. Comment viser plus juste en cherchant à réveiller les hantises d'Adam, son malaise moral? On le voit, le thème folklorique des dons accordés par les fées traduit les espérances et les craintes secrètes de l'auteur » (Jean Frappier, *le Théâtre profane...*).**

---

ARSILE

Aimi! Dame, k'avés vous dit!
Pour Dieu, rapelés[1] cheste cose.

MAGLORE

Par l'ame ou li cors me repose,
695 Il sera ensi ke je di.

MORGUE

Chertes, Dame, che poise mi :
Mout me repenc, mais je ne puis,
C'onques hui de rien vous requis.
Je cuidoie, par ches deus mains,
700 Qu'il deüssent avoir au mains
Cascuns de vous un bel jouel.

MAGLORE

Ains comperront kier le coutel
K'il ouvlïerent chi a metre.

MORGUE

Crokesot.

CROKESOS

Dame.

MORGUE

Se t'as letre
705 Ne rien de ten seigneur a dire,
Si vien avant.

CROKESOS

Dieu le vous mire!

---

1. Sens fort de « révoquer, annuler »; le souhait de la fée Maglore devient une menace qu'elle seule peut empêcher. On notera l'effroi d'Arsile, écho peut-être de celui de l'auteur (voir les commentaires suivants : *la Troisième Fée*, p. 101, et, ci-contre, *l'Épisode des fées*).

ARSILE

Hélas! Dame, qu'avez-vous dit?
Pour Dieu, rappelez cette chose.

MAGLORE

Par l'âme où le corps me repose,
il en sera ainsi que j'ai dit.

MORGUE

Certes, Dame, cela me pèse :
Je me repens beaucoup, davantage je ne puis,
de vous avoir demandé quelque chose aujourd'hui.
Je pensais, par ces deux mains,
qu'ils auraient dû avoir de vous
chacun au moins un beau joyau.

MAGLORE

Au contraire, ils paieront cher le couteau
qu'ils ont oublié de mettre ici.

MORGUE

Croquesot!

CROQUESOT

Dame!

MORGUE

Si tu as une lettre
ou quelque chose à me dire de la part de ton seigneur,
avance.

CROQUESOT

Dieu vous en récompense!

- **L'épisode des fées**

  **Après le repas des fées et les dons qu'elles répandent sur leurs hôtes, thèmes traditionnels qu'Adam de la Halle traite d'une manière légèrement parodique, nous en arrivons aux amours de Morgue. Rappelons que, depuis plus d'un siècle, cette fée apparaissait dans la littérature arthurienne. Adam était donc justifié à l'entourer, dans sa pièce, d'une certaine ironie. Plus qu'à la crédulité d'un public fruste, il s'adressait à la culture d'un milieu de clercs, amusés de retrouver dans une sorte de revue réaliste et quotidienne les personnages célèbres de la littérature de Cour.**

Aussi avoie jou grant haste.
Tenés [1].

MORGUE

Par foi, ch'est paine waste.
Il me requiert chaiens d'amours,
710 Mais j'ai men cuer tourné aillours.
Di lui ke mal se paine emploie.

CROKESOS

Aimi! Dame, je n'oseroie;
Il me geteroit en le mer [2].
Ne pourquant ne poés amer,
715 Dame, nul plus vaillant de lui.

MORGUE

Si puis bien faire.

CROKESOS

Dame, cuit?

MORGUE

Un demoisel [3] de cheste vile,
Ki est plus preus ke tel chent mile,
Ou pour noient nous travaillons.

CROKESOS

Ki est il?

MORGUE

720 Robers Sommeillons [4],

---

1. Croquesot tend à Morgue la lettre d'Hellequin son maître. La fée lit l lettre. — 2. Rappel discret de la traditionnelle cruauté du roi des ténèbres — 3. *Demoisel* ou damoiseau : titre que portaient généralement les jeune gentilshommes non encore armés chevaliers. Peut-être est-il ici employé iron quement : Robert Sommeillon n'est point gentilhomme et sa position social à Arras (prince du *Pui*) rend invraisemblable qu'il soit de première jeuness mais il devait être jeune encore puisqu'il ne mourut que dans les premièr années du XIVe siècle. — 4. Il a déjà été question de Robert Sommeillon a vers 404. Ce riche bourgeois était le nouveau prince du *Pui*. On aurait p penser qu'Adam de la Halle en avait alors fini avec lui. Mais non, il lui consacr ici encore 38 vers, ce qui est considérable pour un personnage qui ne tient pa de rôle dans la pièce. Robert Sommeillon était un notable arrageois, il jouissa de la réputation de bienfaiteur de la cité pour laquelle il fonda un hospic

J'avais moi aussi grande hâte.
Tenez.

MORGUE

Par ma foi, c'est peine perdue.
Il me requiert d'amour là-dedans,
mais j'ai tourné mon cœur ailleurs.
Dis-lui qu'il emploie mal sa peine.

CROQUESOT

Hélas! Dame, je n'oserais pas;
Il me jetterait à la mer.
Cependant, Dame, vous ne pouvez
aimer quelqu'un de plus vaillant que lui.

MORGUE

Si, je puis bien le faire.

CROQUESOT

Dame, qui?

MORGUE

Un damoiseau de cette ville,
qui est plus preux que cent mille,
pour qui nous nous donnons de la peine inutilement.

CROQUESOT

Qui est-il?

MORGUE

Robert Sommeillon,

---

- **L'ironie (v. 720-729)**

  **Les louanges de Morgue à l'égard de Robert Sommeillon ne sont pas dépourvues d'une ironie au second degré, puisqu'elle est celle de l'auteur à l'égard du personnage dont parle la fée. « Ce Robert Sommeillon apparaît comme un véritable bourgeois gentilhomme » (Marie Unguréanu, op. cité, p. 201). « Singeant les mœurs des chevaliers, il avait jouté à Montdidier sur la place du Marché. Par malheur, son destrier avait butté, était tombé et lui avec... Le bourgeois-paladin en conserva longtemps les marques aux bras, aux épaules » (Henri Guy, *Essai...*, p. 439).**

---

Qui set d'armes et de keval.
Pour mi jouste amont et aval
Par le païs a tavle ronde [1].
Il n'a si preu en tout le monde
725 Ne ki s'en sache mieus aidier.
Bien i parut a Mondidier [2]
S'il jousta le mieus ou le pis.
Encore s'en deut il ou pis,
Es espaules et ens es bras.

CROKESOS

730 Est che nient uns a uns vers dras,
Roiiés d'une vermeille roie?

MORGUE

Ne plus ne mains.

CROKESOS

Bien le savoie.
Me sire en est en jalousie
Trés k'il jousta a l'autre fie,
735 En cheste vile, ou Markiet [3] droit.
De vous et de lui se vantoit.
Et tantost k'il s'en prist a courre,
Me sire se mucha en pourre
Et fist sen keval le gambet
740 Si ke caïr fist le varlet
Sans assener sen compaignon.

MORGUE

Par foi, assés le dehaigne on [4];
Non pruec me sanle il trop vaillans,
Peu parliers et cois et chelans,
745 Ne nus ne porte meilleur bouke.
Li personne de lui me touke
Tant ke je l'amerai; ke vaut che?

1. Les tournois de table ronde, organisés sans doute à l'imitation des tournois dont on lisait les récits dans les romans arthuriens. — 2. Montdidier : localité de l'actuel département de la Somme. — 3. L'une des places de la ville. — 4. Robert Sommeillon paraît n'avoir été guère populaire.

Qui s'y connaît aux armes et aux chevaux.
Pour moi, il joute par monts et par vaux
à travers le pays dans les tournois de table ronde.
Il n'y a si preux en tout le monde
ni qui sache mieux se tirer d'affaire.
Il parut bien à Montdidier
s'il jouta le mieux ou le pis.
Il en a encore mal à la poitrine,
aux épaules et aux bras.

CROQUESOT

N'est-ce point un qui porte un habit vert
rayé de vermeil?

MORGUE

Ni plus ni moins.

CROQUESOT

Je le savais bien.
Mon seigneur en est jaloux
depuis l'autre fois qu'il jouta
en cette ville, sur la place du Marché.
Il se vantait à propos de vous et de lui.
Aussitôt qu'il se mit à courir,
mon seigneur se cacha dans la poussière
et fit à son cheval un croc en jambe
de sorte qu'il fit tomber le jeune homme
sans avoir touché son adversaire.

MORGUE

Ma foi, on le hait beaucoup;
cependant il me semble de grande valeur,
pas bavard, silencieux, discret,
personne n'a moins mauvaise langue.
Sa personne me touche tant
que je l'aimerai; que vaut cela [1]?

---

1. *Ke vaut che? :* on peut comprendre que Morgue interroge Arsile sur le bien-fondé de son amour pour Robert Sommeillon. Langlois traduit par « c'est décidé », sans tenir compte de l'interrogation, et Frappier-Gossart par « qu'y faire? ».

ARSILE

Le cuer n'avés mie en le cauche,
Dame, ki pensés à tel home :
750 Entre le Lis voir et le Somme
N'a plus faus ne plus buhotas [1].
Et se veut monter seur le tas [2]
Tantost k'il repaire en un lieu.

MORGUE

S'est teus?

ARSILE

Ch'est mon.

MORGUE

De la main Dieu
755 Soie jou sainnie et benite!
Mout me tieng ore pour despite
Quant pensoie a tel cacoigneur
Et je laissoie le graigneur
Princhе ki soit en faerie [3].

ARSILE

760 Or estes vous bien conseillie,
Dame, quant vous vous repentés.

MORGUE

Crokesot.

CROKESOS

Me dame.

MORGUE

Amistés
Porte ten seigneur de par mi.

---

1. Faux, creux; de *buhot*, tuyau. — 2. Selon les deux traductions que nous avons citées, vouloir *monter seur le tas* signifierait « vouloir dominer ». Mais on comprend mal alors que ce soit ce dernier argument qui éloigne Morgue de Robert Sommeillon dont elle paraissait très éprise. Autre est l'interprétation de Lucien Foulet : « On traduirait ... en adoucissant quelque peu l'expression : « ...où qu'il aille, il n'est pas plutôt arrivé que le voilà à courir le jupon » On comprend ... ainsi le cri de jalousie de Morgue et son indignation » (*Romania*, LXVII). — 3. Hellequin.

ARSILE

Vous n'avez pas le cœur dans la chausse [1],
Dame, pour penser à un tel homme :
En vérité, entre le Lys et la Somme
il n'y en a pas de plus faux ni de plus trompeur.
Et dès qu'il arrive quelque part
le voilà à courir le jupon.

MORGUE

Il est tel?

ARSILE

C'est vrai.

MORGUE

De la main de Dieu
que je sois signée et bénie!
Je me tiens maintenant pour très méprisable
d'avoir pensé à un tel trompeur [2]
et d'avoir laissé le plus grand
prince qui soit en féerie.

ARSILE

Vous êtes, maintenant, bien raisonnable
quand vous vous repentez.

MORGUE

Croquesot!

CROQUESOT

Ma Dame!

MORGUE

Transmets
mes amitiés à ton seigneur de ma part.

---

1. Peut-être Arsile veut-elle dire ironiquement « vous ne placez pas vos désirs trop bas ... il est en effet bien digne de vous... ». Suit une charge sévère contre ce brillant parti. — 2. Rappelons que c'est sur l'âpreté de ce portrait de Robert Sommeillon, prince du Pui, que l'on se fonde pour affirmer que *le Jeu de la feuillée* n'a pas été écrit pour le Pui. Tel n'était pas l'avis d'Henri Guy pour qui Adam de la Halle devait juger innocents les traits qu'il décochait contre le président de cette académie; « avouons cependant qu'il a eu la main lourde, ou que nos ancêtres étaient peu chatouilleux » (*Essai...*, p. 438).

CROKESOS

Me dame, je vous en merchi
765 De par men grant seigneur le roi.
Dame, k'est che la ke je voi
En chele roe[1]? Sont che gens?

MORGUE

Nenil, ains est essamples gens.
Et chele ki le roe tient
770 Cascune de nous apartient;
et s'est trés dont k'ele fu nee
Muiele, sourde et avulee.

CROKESOS

Comment a ele a non?

MORGUE

Fortune.
Ele est a toute rien commune,
775 Et tout le mont tient en se main.
L'un fait povre hui, rike demain,
Ne point ne sét cui ele avanche.
Pour chou n'i doit avoir fianche
Nus tant soit haut montés en roche;
780 Car, se chele roe bescoche,
Il le couvient descendre jus[2].

CROKESOS

Dame, ki sont chil doi lassus
Dont cascuns sanle si grans sire?

---

1. Cette roue se trouve sur la scène depuis l'arrivée des fées. — 2. L'image de la roue de la Fortune est fréquemment reproduite au Moyen Age, elle constitue un thème de la poésie des *Vagants*. On la trouve aussi dans les cathédrales : « La roue de la Fortune qui tourne et préside à un éternel retour, le hasard aveugle qui bouleverse les réussites, ne sont pas thèmes révolutionnaires en leur essence : ils nient le progrès, ils refusent un sens à l'histoire. Ils peuvent appeler un bouleversement de la société, mais c'est dans la mesure même où ils impliquent qu'on se désintéresse des surlendemains » (Jacques Le Goff, *les Intellectuels au Moyen Age*).

---

- **L'épisode des fées**

① **Faites le portrait de Robert Sommeillon d'après les indications du** ***Jeu de la feuillée.***

CROQUESOT

Ma Dame, je vous en remercie
de par mon grand seigneur le roi.
Dame, qu'est-ce que je vois là
sur cette roue? Sont-ce des gens?

MORGUE

Non, mais de beaux exemples.
Et celle qui tient la roue
appartient à chacune de nous [1];
et elle est, depuis sa naissance,
muette, sourde et aveugle.

CROQUESOT

Quel est son nom?

MORGUE

Fortune.
Elle est commune à toute chose,
et tient le monde entier en sa main.
Elle fait l'un pauvre aujourd'hui, riche demain,
et elle ne sait point qui elle avance.
Aussi nul n'y doit avoir confiance,
si haut soit-il monté;
Car, si cette roue s'élance,
il lui faut redescendre au plus bas.

CROQUESOT

Dame, qui sont ces deux-là, en haut,
dont chacun semble si grand seigneur?

---

1. A chacune des fées, maîtresses des destinées humaines.

■■■■■■■■■■■■

**② Quels caractères Adam de la Halle a-t-il prêtés aux trois fées?**

**③ Comment s'opère la liaison entre les thèmes de l'épisode des fées?**

**④ Montrer que l'épisode des fées est riche à la fois des préoccupations d'Adam de la Halle et de celles qui intéressent la bourgeoisie d'Arras.**

**« Comme la Fortune de Jean de Meung, aveugle et indifférente aux mérites personnels, la Fortune que nous montre Morgue est** *avulee* **(v. 772) à l'égard des mérites personnels, et si elle établit des distinctions sociales,** *point ne sét cui ele avanche* **(v. 777) » (Alfred Adler, op. cité, p. 31).**

■■■■■■■■■■■■■■■■■■■■■■■■■■■■■■■■■■■■■■■■■■■■■■■■■■■■

MORGUE

Il ne fait mie boin tout dire;
785 Orendroit m'en deporterai[1].

MAGLORE

Crokesot, je le te dirai.
Pour chou ke courechie sui,
Hui mais n'espargnerai nului.
Je n'i dirai hui mais fors honte.
790 Chil doi lassus sont bien du conte[2],
Et sont de le vile seigneur.
Mis les a Fortune en honneur.
Cascuns d'aus est en sen lieu rois.

CROKESOS

Ki sont il?

MAGLORE

Ch'est sire Ermenfrois[3],
795 Crespins et Jakemes Louchars[4].

CROKESOS

Bien les connois, il sont escars.

MAGLORE

Au mains regnent il maintenant
Et leur enfant sont bien venant,
Qui regner vaurront après eus.

CROKESOS

Li quel?

---

1. Noter la prudence de Morgue. On y a vu une allusion aux dangers que le franc-parler à l'égard des notables faisait courir aux « mauvais esprits » d'Arras. — 2. Le *conte :* le comte d'Artois, suzerain d'Arras, et avec la faveur duquel les notables locaux devaient compter malgré la charte de commune, obtenue vers 1180, qui garantissait l'indépendance de la ville et les privilèges de son patriciat. — 3. Riche banquier, il prêtait de l'argent au comte d'Artois. — 4. Autre puissant personnage appartenant à une non moins puissante famille : vers 1300, le roi de France doit à la famille *Louchard* plus de 44 000 livres. De nombreux poèmes satiriques contemporains du *Jeu* dénoncent les Crespin et les Louchard comme fourbes et malhonnêtes. Adam de la Halle reprend donc là un sujet fréquemment traité.

MORGUE

Il ne fait pas bon tout dire :
présentement, je m'en dispenserai.

MAGLORE

Croquesot, je te le dirai.
Parce que je suis courroucée,
aujourd'hui je n'épargnerai personne.
Aujourd'hui je ne dirai que des choses honteuses.
Ces deux là-haut sont bien vus du comte,
et ils sont maîtres de la ville.
La Fortune les a mis en honneur.
Chacun d'eux est roi en son lieu.

CROQUESOT

Qui sont-ils?

MAGLORE

C'est Sire Ermenfroi,
Crespin et Jacquemin Louchard.

CROQUESOT

Je les connais bien, ils sont avares.

MAGLORE

Du moins règnent-ils en ce moment,
et leurs enfants viennent bien,
qui voudront régner après eux.

CROQUESOT

Lesquels?

- **Ermenfroi, Crespin et Louchard**

  **« Les favoris du comte d'Artois rêvaient de transmettre à leurs enfants la puissance qu'ils avaient acquise, et de peur qu'après eux les Arrageois ne manquassent de tyrans, ils travaillaient à fonder de véritables dynasties. Adam de la Halle s'élève avec énergie contre ces orgueilleuses prétentions » (H. Guy, op. cité, p. 436).**

MAGLORE

800 Vés en chi au mains deus.
Cascuns siut sen pere drois poins.
. . . . . . . . . . . . . . . . . .
Ne sai ki chieus est ki s'embruke.

CROKESOS

Et chieus autres ki la trebuke,
805 A il ja fait pille ravane?

MAGLORE

Non, ch'est Thomas de Bourriane [1],
Ki soloit bien estre du conte;
Mais Fortune ore le desmonte
Et tourne chou dessous desseure.
810 Pour tant on li a couru seure
Et fait damage sans raison.
Meïsmement de se maison
Li voloit on faire grant tort.

ARSILE

Pekiét fist ki ensi l'a mort,
815 Il n'en eüst mie mestier,
Car il a laissiét sen mestier
De draper pour brasser goudale [2].

MORGUE

Che fait Fortune ki l'avale.
Il ne l'avoit point desservi.

CROKESOS

820 Dame, ki est chis autres chi
Ki si par est nus et descaus?

1. *Thomas de Bourriane :* personnalité connue à Arras et qui venait d'êt jugée. — 2. On est mal renseigné sur cette affaire Thomas de Bouriane. L vers 814 n'est point à prendre au pied de la lettre, puisque Thomas de Bouriar est inscrit au nécrologe artésien en 1278, c'est-à-dire plusieurs années apr le *Jeu*. Il doit s'agir ici d'une mort civile et commerciale, c'est-à-dire peut-êt de la confiscation des biens. Plus tard encore, vers 1289, des adversaires an nymes et passionnés de Jacquemon Pouchin l'accusent d'avoir, étant échevi fait décider par haine la sentence prononcée contre Thomas de Bourian Cet épisode du *Jeu de la feuillée* va dans le même sens.

MAGLORE

En voici au moins deux.
Chacun suit son père en tous points.
. . . . . . . . . . . . . . . . . .
Je ne sais qui est celui qui se tient au sommet.

CROQUESOT

Et cet autre-là qui trébuche,
a-t-il déjà vidé la caisse [1]?

MAGLORE

Non, c'est Thomas de Bouriane,
qui avait l'habitude des faveurs du comte;
mais la Fortune maintenant le fait descendre
et le tourne sens dessus dessous.
Pourtant on l'a poursuivi
et on lui fait dommage sans raison.
C'est surtout à sa maison
que l'on voulait faire grand tort [2].

ARSILE

Péché a fait celui qui l'a ainsi anéanti;
il n'en aurait pas eu besoin,
car il a laissé son métier
de drapier, pour brasser de la bière.

MORGUE

C'est la Fortune qui le fait descendre.
Il ne l'avait point mérité.

CROQUESOT

Dame, qui est cet autre-ci,
qui est tout nu et déchaussé?

---

1. Nous reprenons, pour « faire *pille ravane* », la traduction Langlois; celle de Frappier-Gossart, « faire sa pelote », est aussi heureuse. — 2. Sans doute avait-on voulu l'expulser de la maison qu'il occupait dans « l'orde rue ».

MORGUE

Chieus, ch'est Leurins li Cauelaus [1],
Ki ne puet jamais relever.

ARSILE

Dame, si puet bien, par lever
825 Aucune bele cose amont.

CROKESOS

Dame, volentés me semont
K'a men seigneur tost m'en revoise.

MORGUE

Crokesot, di lui k'il s'envoise
Et k'il fache adès bele kiere,
830 Car je li iere amie kiere
Tous les jours mais ke je vivrai.

CROKESOS

Me dame, seur chou m'en irai.

MORGUE

Voire, di li hardiement,
Et si li porte che present
835 De par mi. Tien, boi anchois, viaus.

CROKESOS

*Me siét il bien li hurepiaus* [2]*?*

MORGUE

Beles dames, s'il vous plaisoit,
Il me sanle ke tans seroit
D'aler ent, ains k'il ajournast.
840 Ne faisons chi plus de sejour,

1. Patronyme connu à Arras. — 2. La question, reprise ici comme un refrain, avait déjà été posée par Croquesot au vers 590 (voir p. 88).

MORGUE

Celui-ci, c'est Leurin le Cavelau,
qui ne peut jamais se relever.

ARSILE

Dame si, il le peut bien
si une belle chose s'élève [1].

CROQUESOT

Dame, mon désir me pousse
à m'en retourner vite vers mon maître.

MORGUE

Croquesot, dis-lui qu'il se réjouisse
et qu'il fasse toujours gai visage,
car je serai son amie chère
tous les jours que je vivrai.

CROQUESOT

Ma Dame, sur ce je m'en irai.

MORGUE

Oui, dis-le-lui hardiment
et porte-lui ce présent
de ma part. Tiens, bois d'abord, s'il te plaît.

CROQUESOT

*Me sied-il bien le chapeau [2]?*

MORGUE

Belles dames, s'il vous plaisait,
il me semble qu'il serait temps
de s'en aller, avant qu'il fasse jour.
Ne nous attardons pas davantage ici,

---

1. Traduction Langlois : « en produisant quelque belle chose »; mais cette interprétation qui valorise le mérite personnel est contraire au mythe de la roue de Fortune. Sans doute Adam de la Halle a-t-il voulu dire que Leurin le Cavelau peut se relever à la suite d'un changement heureux à la tête de la ville. — 2. Croquesot quitte la scène sur le refrain qui lui a servi d'entrée. Les fées vont rester seules jusqu'à l'arrivée de Dame Douche, laquelle avait dû se retirer après avoir prononcé la réplique des vers 598-599 : elle n'attendait point les fées en ce lieu préparé pour elles par Riquier Auris et Maître Adam.

Car n'afiert ke voisons par jour
En lieu la ou nus hom trespast [1].
Alons vers le Pré [2] erraument,
Je sai bien c'on nous i atent.

MAGLORE

845 Or tost, alons ent par iluec;
Les vielles femes de le vile
Nous i atendent [3].

MORGUE

Est chou guile?

MAGLORE

Vés dame Douche nous vient pruec.

DAME DOUCHE

Et k'est che ore chi, beles dames [4]?
850 Ch'est grans anuis et grans diffames
Ke vous avés tant demouré.
J'ai annuit faite l'avanwarde,
Et me fille [5] aussi vous pourwarde
Toute nuit a le Crois ou Pré.
855 La vous avons nous atendues
Et pourwardees par les rues.
Trop nous i avés fait veillier.

MORGUE

Pour coi, la Douche?

---

1. Les fées ne devaient point être aperçues de jour par des hommes. — 2. Le *Pré :* quartier d'Arras, au nord de la ville, sur l'emplacement d'une prairie. — 3. « Les bourgeois d'Arras ne doutaient point que les mortels ne fussent quelquefois visités par les lutins et les génies, et si l'on considérait leur influence comme inexplicable, on la tenait pour certaine [...]. Nous sommes en droit de croire qu'afin d'attendre les fées, les vieilles femmes de la ville s'assemblaient à la Croix-au-Pré » (Henri Guy, op. cité, p. 378). — 4. Depuis le vers 837 et jusqu'au vers 873, qui conclut l'épisode des fées, Adam de la Halle a changé la disposition des rimes et est revenu à la disposition a-a b-c-c-b, qu'il avait déjà utilisée du vers 31 au vers 182. — 5. C'est la première fois qu'il est fait mention d'une fille de Dame Douche; on apprendra, au vers 869, qu'elle se nomme Agnès. Ce détail, inutile dans l'économie de la pièce, donne à penser que Dame Douche a réellement existé.

ar il ne convient pas que nous allions de jour
n un lieu où un homme vienne à passer.
llons vers le Pré rapidement,
e sais bien qu'on nous y attend.

MAGLORE

t bien, vite, allons-nous-en par là;
es vieilles femmes de la ville
ous y attendent.

MORGUE

Est-ce une tromperie [1]?

MAGLORE

oyez Dame Douche qui vient vers nous pour cela.

DAME DOUCHE

t qu'est ceci, belles dames?
'est grand ennui et grande honte
ue vous ayez tant tardé.
ai cette nuit fait l'avant-garde,
t ma fille aussi vous a guettées
ute la nuit à la Croix-au-Pré.
à nous vous avons attendues
t guettées par les rues.
ous nous y avez fait beaucoup veiller.

MORGUE

ourquoi, la Douche?

---

1. Traduction Frappier-Gossart : « Est-ce dans un mauvais dessein? »

---

- **Le départ des fées sous la conduite de Dame Douche**

**Les « belles Dames parées » disparaîtront à la suite de la « vieille réparée ». La laideur, au petit jour, emporte la beauté vers quelque sabbat. On aura remarqué l'incrédulité ou peut-être même l'inquiétude de la fée Morgue (v. 847). Seule, Maglore, la fée maligne, met quelque zèle à se rendre à ce rendez-vous (v. 868 à 871). Le départ des fées coïncidera avec les projets de vengeance de Dame Douche, projets auxquels Maglore promet l'aide des trois fées. Capitulation du monde de l'idéal, de la beauté, devant le monde sordide et laid personnifié par Dame Douche? Tout semble préparer la débâcle finale et la tonalité sombre de la fin de la pièce.**

---

DAME DOUCHE

On m'i a fait
Et dit par devant le gent lait,
860 Uns hom ke je voeil maniier;
Mais, se je puis, il iert en biere[1],
Ou tournés chou devant derriere
Devers les piés ou vers les dois.
Je l'arai bien tost a point mis
865 En sen lit, ensi ke je fis
L'autre an Jakemon Pilepois[2]
Et l'autre nuit Gillon Lavier[3].

MAGLORE

Alons, nous vous irons aidier.
Prendés avoec Agnès vo fille,
870 Et une ki maint en Chité,
Qui ja n'en avera pité.

MORGUE

Feme Wautier Mulet[4]?

DAME DOUCHE

Ch'est chille.
Alés devant et je m'en vois.

LES FEES *cantent*

*Par chi va la mignotise*[5],
875 *Par chi ou je vois.*

---

1. On a suggéré que Dame Douche devait, par profession, ensevelir les morts. Ce serait une dernière touche au portrait de ce personnage qui quitte définitivement la scène, personnage inquiétant où l'on a vu personnifiées toutes les terreurs d'Adam de la Halle. — 2. Nom connu à Arras. — 3. Sans doute *Lavier* est-il écrit pour Lanier. — 4. *Wautier Mulet* était peut-être mort quand Adam de la Halle écrivit sa pièce; son nom est inscrit au nécrologe artésien en 1274. — 5. Nous avons là un refrain commun à deux motets dont l'un est d'Adam.

---

- **Le personnage de Dame Douche**

**« Dame Douche! Sa réputation ruinée par ce qu'on lui** *a fait et dit par devant le gent lait* **(v. 858-859), les Dames font bien son affaire. Mères sortant d'où les Mères sont un peu bacchiques, et pas toujours sujetées aux soucis bourgeois de bienséance, ces Dames (Maglore, dans sa colère dégourdissant la langue de Dame Douche, l'amènent à se vanter de ses dispositions répréhensibles :** *Je l'* [Riquier] *arai bien tost a point mis*

DAME DOUCHE

On m'y a fait
et dit, par devant les gens, des injures,
un homme [1] que je veux tenir dans mes mains;
mais, si je peux, il sera en bière,
ou tourné sens devant derrière,
vers les pieds ou vers les doigts.
Je l'aurai bien vite à point mis
en son lit, ainsi que je fis
l'an dernier pour Jacquemon Pilepois,
et l'autre nuit pour Gillon Lavier.

MAGLORE

Allons, nous irons vous aider.
Prenez avec vous Agnès, votre fille,
et une qui habite dans la cité,
qui n'en aura pas pitié.

MORGUE

La femme de Gauthier Mulet?

DAME DOUCHE

C'est elle-même.
Allez devant et je m'en vais.

LES FÉES *chantent*

*Par là va la gentillesse*
*Par là où je vais* [2].

1. De qui Dame Douche veut-elle se venger : du médecin, de Gillot ou de Riquier, qui ne la ménagèrent pas au début de la pièce? — 2. Il y a quelque ironie à placer un refrain aussi rassurant dans la bouche des fées au moment où elles s'apprêtent à une expédition punitive assez louche.

*en sen lit, ensi ke je fis l'autre an Jakemon Pilepois et l'autre nuit Gillon Lavier* **(v. 864-867). Ménade matriarcale, elle veut** *maniier* **(v. 860) Rikier. La petite bourgeoise honteuse** *devant le gent* **s'élève peut-être à ce moment au niveau d'une Mère, pleine de défi, Déméter obscène mais d'une obscénité sacrée, inséparable de sa Perséphone. Quoi qu'il en soit, le rôle des Dames à l'égard de Dame Douche est clair. Elles élèvent cette femme au-delà du domaine urbain des idées bourgeoises de bienséance. Mères vénérables, forces mystiques de la nature, mais respectées dans la ville, elles font participer à leur respectabilité extramorale une femme qui, sans elles, serait** *enlaidie* **» (Alfred Adler, op. cité, p. 30-31).**

*Musée du Louvre, Ph. © Giraudon*

Deux dessins

(voir p. 133,

Intérieur de cabaret

*Regardez, la table est déjà mise*
*et voilà Riquier à côté.*
(v. 901-902)

*Musée du Louvre, Ph. © Giraudon*

e Van Ostade

ommentaire)

Intérieur d'auberge

*Qui s'occupe*
*de tirer le vin? Il n'y en a plus?*
(v. 905-906)

LI MOINES

Aimi! Dieus, ke j'ai sommeilliét!

HANE LI MERCHIERS

Marie! Et j'ai adès veilliét.
Faites, alés vous ent errant.

LI MOINES

Frere, ains arai mengiét avant,
880 Par le foi ke doi saint Acaire.

HANE

Moines, volés vous dont bien faire?
Alons a Raoul Le Waisdier [1] :
Il a aucun rehaignet d'ier,
Bien puet estre k'il nous donra.

LI MOINES

885 Trop volentiers. Ki m'i menra?

HANE

Nus ne vous menra mieus de moi;
Si trouverons laiens, je croi,
Compaignie ki la s'embat,
Faitiche, ou nus ne se combat :
890 Adan, le fil maistre Henri,
Veelet [2] et Rikeche Auri,
Et Gillot Le Petit, je croi.

LI MOINES

Par le saint Dieu et je l'otroi.
Aussi est chi me cose bien.
895 Et si vés chi un crespet, tien.
Ke ne sai queus caitis offri.

---

1. Tavernier, son établissement devait jouxter, sur la scène, la feuillée pré parée pour les fées. — 2. Personnage connu à Arras, il est mentionné dan *le Congé* de Fastoul.

LE MOINE

Ah! Dieu que j'ai dormi!

HANE LE MERCIER

Marie! et moi j'ai tout le temps veillé.
Faites bien, allez-vous-en vite.

LE MOINE

Frère, mais auparavant j'aurai mangé,
Foi que je dois à saint Acaire!

HANE

Moine, voulez-vous donc bien faire?
Allons chez Raoul le Waidier :
Il a quelque reste d'hier,
peut-être bien qu'il nous en donnera.

LE MOINE

Bien volontiers, qui m'y mènera?

HANE

Nul ne vous y mènera mieux que moi;
nous trouverons là-bas, je crois,
une compagnie qui s'y réunit,
agréable, où personne ne se querelle :
Adam, le fils de maître Henri,
Veelet et Riquier Auris,
et Gillot le Petit, je crois.

LE MOINE

Par le Saint Dieu, je l'accorde.
Aussi mes affaires vont-elles bien ici.
Et voici un petit crêpe, tiens,
que je ne sais quel infortuné a offert.

---

- **Mise en scène**

  **La scène reste un moment vide pour exprimer que quelques heures ont passé depuis le départ des fées. Le moine (v. 876) avait dû s'endormir très tôt. Riquier Auris et Adam ont filé. On retrouvera le premier à l'auberge (v. 902). Aucun des témoins de la venue des fées ne fera allusion à cet événement, et il n'en sera plus reparlé. Ce retour au prosaïsme le plus quotidien est un signe de désenchantement.**

---

Je n'en conterai point a ti,
Ains sera de commenchement.

HANE

Alons ent dont ains ke li gent
900 Aient la taverne pourprise.
Eswardés, li tavle est ja mise
Et vés la Rikeche d'encoste.
Rikeche, veïstes vous l'oste?

RIKIERS

Oie, il est chaiens. Rauelet [1]!

LI OSTES

Veés me chi.

HANE

905 Ki s'entremet
Dou vin sakier? Il n'i a plus?

LI OSTES

Sire, bien soiés vous venus!
Vous voeil je fester, par saint Gile!
Sachiés c'on vent en cheste vile.
910 Tastés, jel venc par eskievins [2].

LI MOINES

Volentiers, cha dont.

LI OSTES

Est che vins?
Tel ne boit on mie en couvent.
Et si vous ai bien en couvent
K'auan ne vint mie d'Auchoirre [3].

---

1. Autre nom de l'aubergiste, Raoul le Waidier — 2. *Eskievins :* forme picarde de « échevin ». Du francique **skapin*, juge. En France, jusqu'en 1789 magistrat municipal, dans certaines villes du Nord en particulier (aujourd'hui encore en Belgique). Le *contrôle des échevins* était une garantie de qualité. Dans *le Jeu de Saint-Nicolas* de Bodel, l'aubergiste vend son vin « au ban de la ville ». — 3. La renommée du vin d'Auxerre est grande au Moyen Age.

Je ne te le compterai point à toi,
mais ce sera un commencement.

HANE

Allons-nous-en donc avant que les gens
aient envahi la taverne.
Regardez, la table est déjà mise
et voilà Riquier à côté.
Riquier, avez-vous vu l'hôte?

RIQUIER

Oui, il est là. Ravelet!

L'HÔTE

Me voici.

HANE

Qui s'occupe
de tirer le vin? Il n'y en a plus?

L'HÔTE

Sire, soyez le bienvenu!
Je veux vous faire fête, par saint Gille!
Sachez ce que l'on vend dans cette ville.
Goûtez, je le vends sous le contrôle des échevins.

LE MOINE

Volontiers, versez donc.

L'HÔTE

Est-ce vin?
On n'en boit pas de tel au couvent.
Et je vous garantis bien
qu'il n'est pas venu cette année d'Auxerre.

---

- **Mise en scène**

**« Il est plus raisonnable d'estimer [...] que nos gens s'installaient tout bonnement à la table que Morgue et ses compagnes avaient quittée, et les trois vers que Hane le mercier prononçait alors [...] apprenaient à la galerie que le lieu n'était plus le même, que la table des fées s'était brusquement métamorphosée en vulgaire table d'auberge » (Henri Guy, op. cité, p. 347-348). Contre cette opinion voir p. 91, note 1.**

---

RIKIERS

915 Or me prestes donques un voirre,
Par amour, et si seons bas.
Et che sera chi li rebas
Seur coi nous meterons le pot.

GILLOS [1]

Ch'est voirs.

RIKIERS

Ki vous mande, Gillot?
920 On ne se puet mais aaisier!

GILLOS

Che ne fustes vous point, Rikier.
De vous ne me doi loer waires.
Que ch'est? Me sires sains Acaires
A il fait miracles chaiens?

LI OSTES

925 Gillot, estes vous hors du sens?
Taisiés. Que mal soiés venus!

GILLOS

Ho! biaus ostes, je ne di plus.
Hane, demandés Rauelet
S'il a chaiens nul rehaignet
930 K'il ait d'ersoir repus en mue [2].

LI OSTES

Oie; un herenc de Gernemue [3],
Sans plus, Gillot, je vous oc bien.

GILLOS

Je sai bien ke vés chi le mien.
Hane, or li demandés le voe.

---

1. *Gillot* pénètre dans l'auberge. — 2. Littéralement « qu'il ait caché en prison »; peut-être Gillot désigne-t-il là, par métaphore, le garde-manger. — 3. Yarmouth : au Moyen Age centre important pour la pêche et l'exportation des harengs.

RIQUIER

Prêtez-moi donc un verre,
par bonté, et asseyons-nous à terre.
Et ceci sera le rebord
sur lequel nous mettrons le pot.

GILLOT

C'est vrai.

RIQUIER

Que vous demande Gillot?
On ne peut plus prendre ses aises!

GILLOT

Ce n'a pas été vous, Riquier.
De vous je n'ai guère à me louer.
Qu'est-ce? messire saint Acaire
a-t-il fait des miracles ici?

L'HÔTE

Gillot, êtes-vous fou?
Taisez-vous. Soyez le malvenu.

GILLOT

Oh! bel hôte, je ne dis plus rien.
Hane, demandez à Ravelet
s'il n'y a pas ici quelque reste
d'hier soir qu'il ait mis de côté.

L'HÔTE

Oui; un hareng de Yarmouth,
rien de plus, Gillot, je vous entends bien.

GILLOT

Je sais bien que voici le mien *(il s'empare du hareng)*.
Hane, demandez-lui le vôtre!

---

- **Mise en scène**

  **Ernest Langlois pensait que Riquier désignait (v. 917) le rebord de la fenêtre sur lequel on avait déposé les verres. Cette hypothèse rend plus clairs les vers 1053-1054. Pour M. Frappier, Riquier et le moine sont descendus dans la salle et ont posé leurs verres sur le rebord de la scène constituée par une estrade, à l'exclusion de tout autre décor que la feuillée.**

---

LI OSTES

935 Le ban [1] fach ke t'ostes le poe,
Et k'il soit a tous de commun.
Il n'afiert point c'on soit enfrun
Seur le vïande [2].

GILLOS

Bé! Ch'est jus.

LI OSTES

Or metés dont le herenc jus.

GILLOS LI PETIS

940 Vés le chi, je n'en gousterai,
Mais un petit assaierai
Che vins ains c'on le par essiaue.
Il fu voir escaudés en iaue,
Si sent un peu le rebouture.

LI OSTES

945 Ne dites point no vin laidure,
Gillot, si ferés courtoisie.
Nous sommes d'une compaignie,
Si ne le blasmés point.

GILLOS LI PETIS

Non fach je.

HANE LI MERCHIERS

Vois ke maistre Adans fait le sage
950 Pour chou k'il doit estre escoliers [3].
Je vi k'il se sist volentiers
Avoeques nous pour desjuner.

ADANS

Biaus sire, ains convient meürer [4],
Par Dieu! je ne le fach pour el.

---

1. *Le ban :* du francique **ban*, à rapprocher de l'ancien haut allemand *ban*, « ordre sous menaces ». Mot important du lexique de la féodalité, aux emplois variés liés à la notion d'autorité : « proclamation du suzerain dans sa juridiction, circonscription, défense, condamnation à l'exil » (Bloch-Wartburg, *Dictionnaire étymologique*). — 2. *Vïande :* sens d'aliment en général, jusqu'au XVIe siècle. — 3. *Escoliers :* voir p. 42, note 2. — 4. Mûrir, s'amender, devenir raisonnable, « se reconnaître ».

L'HÔTE

e te donne l'ordre d'ôter ta patte,
:t qu'il soit commun à tous.
l ne convient pas qu'on soit glouton
ur la nourriture.

GILLOT

Bah! c'est un jeu.

L'HÔTE

'osez donc le hareng.

GILLOT LE PETIT

.e voici, je n'en goûterai pas,
nais j'essaierai un peu
e ce vin avant qu'on l'épuise.
:n vérité, il a été échaudé,
t il sent un peu le remplage [1].

L'HÔTE

I'injuriez pas notre vin [2],
iillot, vous agirez courtoisement.
Ious sommes de la même société,
insi ne le blâmez point.

GILLOT

Je ne le blâme pas [3].

HANE LE MERCIER

oyez comme maître Adam fait le sage
arce qu'il doit être étudiant.
: l'ai vu s'asseoir volontiers
vec nous pour déjeuner.

ADAM

eau seigneur, mais il faut bien mûrir,
ar Dieu, je ne le fais pas pour autre chose.

1. Vin dont on remplit une pièce qui n'est pas pleine. — 2. Seule cette aduction rend compte de la personnification de son vin opérée par le tavernier. - 3. *Non fach je* = « non fais-je » est une négation très forte et expressive qui : pourrait être bien rendue que par « ce n'est pas ce que je fais ».

MAISTRE HENRIS

955 Va i, pour Dieu! Tu ne vaus mel.
Tu i vas bien quant je n'i sui.

ADANS

Par Dieu! sire, je n'irai hui
Se vous ne venés avoec mi [1].

MAISTRE HENRIS

Va dont, passe avant, vés me chi.

HANE LI MERCHIERS

960 Aimi! Dieus! Con fait escolier!
Chi sont bien emploiét denier [2]!
Font ensi li autre a Paris?

---

1. On notera la déférence d'Adam à l'égard de son père. Le *Jeu* est fini, il n'est plus question d'user de la liberté de ton qui caractérise la première partie de la pièce. — 2. Cette réplique semblerait prouver qu'il est encore question, pour Adam, d'aller à Paris avec l'argent de son père. Hane le mercier se moque peut-être de la facilité avec laquelle Adam s'est laissé convaincre d'entrer dans la taverne.

---

- **Scène de genre dans la taverne (v. 907-962)**
**Hane le mercier et le moine pénètrent dans l'auberge au petit jour. Le premier n'a pas dormi, le second a un peu sommeillé après le départ des fées (v. 876-877). Le tavernier est déjà à pied d'œuvre et accueille avec joie ces clients matinaux. Il vante son vin au moine qui en consomme volontiers.**
**① Que traduit la réplique de Riquier, aux vers 919-920?**
**② Quels sentiments manifeste Gillot quand il s'aperçoit de la présence du moine dans la taverne (v. 923-924)?**
**③ Pourquoi l'hôte rabroue-t-il Gillot si vivement (v. 925-926)?**
**Premier jeu de scène : Gillot prend au pied de la lettre le *taisiés* (v. 926) que l'hôte lui a lancé et il passera commande par l'intermédiaire de Hane. L'hôte entend la finesse et va chercher un hareng.**
**④ A quels autres accessoires ce hareng vient-il s'ajouter?**
**⑤ Quel comique pouvait-il naître de cet épisode du hareng? (Penser à la littérature picaresque et aux scènes d'auberge dans *Don Quichotte*.)**
**Gillot a cédé bien vite sur le hareng, devant le ton décidé de l'hôte. Ce n'est que par jeu (v. 938) qu'il a pu considérer qu'il ferait son repas de ce hareng qui doit être *a tous de commun* (v. 936), mais son impertinence réapparaît vite, et au détriment du vin cette fois-ci.**
**⑥ Sur quel ton l'hôte répond-il à l'accusation de Gillot concernant son vin? Par quels faits de lexique et de syntaxe ce ton est-il traduit?**
**Deuxième jeu de scène : l'intérêt se déplace vers maître Adam à l'extérieur de la taverne.**

MAÎTRE HENRI

Vas-y, pour Dieu. Tu ne veux pas mal [1].
Tu y vas bien quand je n'y suis pas.

ADAM

Par Dieu! Sire, je n'irai aujourd'hui
que si vous venez avec moi [2].

MAÎTRE HENRI

Va donc, passe devant, me voici.

HANE LE MERCIER

Grand Dieu! quel écolier accompli!
Voilà des deniers bien employés!
Les autres à Paris font-ils ainsi?

---

1. Phrase difficile. Maître Henri, vraisemblablement, se moque de la réserve adoptée par son fils et veut lui montrer qu'il n'est pas dupe d'une conversion si tardive. Les vers 949-950 prouveraient qu'Adam veut rassurer son père sur le bon emploi qu'il ferait de son argent à Paris. La traduction Langlois « bonne pièce! » s'éloigne du texte mais rend très finement le ton et l'intention de maître Henri. La traduction Frappier-Cossart « il n'y a pas de mal » nous semble erronée. — 2. Ce seront les derniers mots prononcés par Maître Adam, si ce n'est sa participation au refrain entonné en chœur par les compagnons. Personnage principal de la pièce, maître Adam prononce 169 vers sur 1099. Mais il a dit tout ce qu'il avait à dire au cours des deux cents premiers vers.

---

- **La conversation s'engage entre Hane le mercier à l'intérieur et Adam à l'extérieur.**
  **① A quel thème de la pièce se rapporte le passage (v. 949-962)?**
  **② Quelle attitude adopte Adam, et pourquoi?**

- **Remarques et questions sur l'ensemble du morceau (v. 907-962)**
  **Il ne se passe rien. Une taverne au petit matin. Des clients qui ne se sont pas couchés, d'autres qui se sont levés tôt. Des propos que l'on tient au café sur des sujets éprouvés : la qualité du vin, de la nourriture.**
  **③ Et pourtant chaque personnage a du relief : montrez-le.**
  **④ Étudiez le naturel de l'expression.**
  **Un tableau à la manière de Van Ostade : quelques buveurs assis par terre, le dos au mur; ils ont déposé leur verre sur le rebord de la fenêtre. Dans un coin, un moine sommeille (importance de ce détail pour la suite), le patron se prend de mots avec un client à propos d'un hareng qui acquiert alors une importance sans proportion avec sa valeur réelle. Des gens regardent par la fenêtre ouverte, la conversation se noue entre eux et un des buveurs assis dans la taverne. On imagine le silence las et goguenard des autres.**

---

RIKECHE

Vois, chieus moines est endormis [1].

LI OSTES

Et or me faites tout escout :
965 Metons li ja sus k'il doit tout
Et ke Hane a pour lui jué [2].

LI MOINES

Aimi! Dieus! Ke j'ai demouré!
Ostes, comment va nos affaires?

LI OSTES

Biaus ostes, vous ne devés waires.
970 Vous finerés mout bien chaiens.
Ne vous anuit mie, j'i pens.
Vous devés doze saus a mi.
Merchïés ent vo boin ami,
Ki les a chi perdus pour vous.

LI MOINES

Pour mi?

LI OSTES

Voire.

LI MOINES

975 Les doi je tous?

LI OSTES

Oïl voir.

---

1. Ce moine s'endort souvent. A moins, toutefois, qu'il n'ait feint d'avoir dormi pendant l'épisode des fées pour dissimuler le peu orthodoxe intérêt qu'il y a pris. — 2. C'est un tour fort apprécié au Moyen Age que de faire payer ses dettes par un autre. Dans le fabliau des *Trois Aveugles de Compiègne*, le clerc fait payer par le prêtre le dîner des trois aveugles; dans *le Jeu de saint Nicolas*, chacun des larrons triche aux dés afin de faire payer la note par ses compères.

RIQUIER

Voyez, le moine est endormi.

L'HÔTE

Écoutez-moi donc tous :
mettons toute la dépense à son compte,
Hane aura joué pour lui.

LE MOINE

Grand Dieu! Comme je me suis attardé!
Hôte, comment va notre affaire?

L'HÔTE

Bel hôte, vous ne devez guère.
Vous en viendrez très bien à bout sur-le-champ.
Ne vous inquiétez pas, j'y pense.
Vous me devez douze sous.
Remerciez-en votre bon ami
qui les a ici perdus pour vous.

LE MOINE

Pour moi?

L'HÔTE

En vérité.

LE MOINE

Les dois-je tous?

L'HÔTE

Certes oui.

- **Le moine dupé**

  **① Commenter cette appréciation de M. Frappier : « Désormais [à partir du vers 958], jusqu'à la fin de la pièce, Adam gardera le silence, enfoncé dans ses songeries et ses intimes perplexités, tandis qu'autour de lui se manifestent, sur un rythme accéléré, la bouffonnerie, la mystification, la déraison, la folie. »**

LI MOINES

Ai je dont ronkiét?
J'en eüsse aussi boin markiét,
Che me sanle, en l'Enganerie [1].
Et n'a il as dés jué mie
980 De par mi ne a me requeste.

LI OSTES

Vés chi de cascun le foi preste
Ke che fu pour vous k'il jua.

LI MOINES

Hé! Dieus! A vous con fait ju a,
Biaus ostes, ki vous vaurroit croire!
985 Mauvais fait chaiens venir boire
Puis c'on conkie ensi le gent.

LI OSTES

Moines, paiés; cha, men argent
Ke vous me devés. Est che plais?

LI MOINES

Dont deviegne jou aussi fais
990 Ke fu li hors du sens annuit!

---

1. *L'Enganerie*, la tromperie. Au Moyen Age de nombreuses villes ont une rue de ce nom. Comparons avec la rue de la Truanderie, à Paris. Les activités auxquelles se livraient les riverains de ces rues sont évidentes.

---

- **Le tavernier**

**L'usage voulait, au Moyen Age, que lorsqu'un moine ne pouvait s'acquitter d'une dette, il laissât en gage son froc. Le tavernier se conforme donc à un usage établi. Mais il l'agrémente d'une référence ironique à l'opposition scolastique entre *l'écorce* (v. 994), c'est-à-dire le sens littéral, et *le corps* (ou la moelle), le sens profond. M. Frappier écrit à ce propos : « Plaisanterie de clerc, mot d'auteur, plutôt que propos très vraisemblable dans la bouche du tavernier, à moins que celui-ci ne soit un clerc bigame qui n'a pas perdu tout souvenir de l'école. » Une étude minutieuse du personnage du tavernier ne rend-elle pas plausible cette hypothèse? Il est fin, il parle bien et a recours à des figures de style, il mène le jeu de main de maître et ses plaisanteries sur le reliquaire (v. 1018 à 1024) donnent à penser**

LE MOINE

Ai-je donc ronflé?
J'en aurais eu aussi bon marché,
il me semble, à l'Enganerie.
Et pourtant il n'a pas joué aux dés
de ma part ni à ma requête.

L'HÔTE

Voici chacun prêt à jurer
que ce fut pour vous qu'il joua.

LE MOINE

Hé! Dieu! quel bon jeu il a avec vous,
Bel hôte, celui qui vous voudrait croire!
Il fait mauvais venir boire ici
puisque l'on bafoue ainsi les gens.

L'HÔTE

Moine, payez, ça! mon argent
que vous me devez. Est-ce chicane?

LE MOINE

Plutôt devenir tel que l'était
le fou de cette nuit.

---

**qu'il n'est pas étranger au monde de la clergie. Au surplus, il se réclame (v. 947) de la *compaignie* à laquelle appartiennent les personnages de la *Feuillée*, compagnie qui semble prendre très à cœur l'affaire des clercs bigames.**

- **Le moine**

**« Dans la taverne, le moine endormi (v. 963) finit par se réveiller : *Aimi! Dieus!* (v. 960) *Ke j'ai demouré!* (v. 967), tout comme, après le départ des Dames, il s'était écrié : *Aimi! Dieus, ke j'ai sommeilliét!* (v. 876). La similarité de l'expression invite à relever des analogies entre les deux situations. Pour les Dames *on metoit le tavle* (v. 649-650), dans la taverne *li tavle est ja mise* (v. 901). Il y a là deux cercles où se produit un esprit d'inspiration un peu illégitime, un peu en dehors de ce à quoi doit avoir accès un membre de l'Église. Les Dames sont au fond des Mères « enthousiasmées » [...]. La taverne, elle aussi, invite à l'enthousiasme, mais l'inspiration qui s'y produit, on peut se la procurer soi-même, chaque fois que l'on veut la faire sortir d'un verre de vin. La taverne serait-elle la parodie de la vraie inspiration? » (Alfred Adler, op. cité, p. 36).**

---

LI OSTES

Bien vous poist et bien vous anuit,
Vous waiterés chaiens le coc,
Ou vous me lairés cha che froc [1].
Le cors arés et jou l'escorche.

LI MOINES

995 Ostes, me ferés vous dont forche?

LI OSTES

Oie, se vous ne me paiés.

LI MOINES

Bien voi ke je sui conkiiés,
Mais ch'est li daerraine fois.
Par mi chou m'en irai je anchois
1000 K'il reviegne nouviaus escos.

LI FISISIENS

Moines, vous n'estes mie sos,
Par men kief, ki vous en alés.
Chertes, seigneur, vous vous tués.
Vous serés tout paraletique,
1005 Ou je tieng a fausse fisique.
Quant a cheste eure estes chaiens.

GILLOS

Maistre, bien caiés de vo sens,
Car je ne le pris une nois.
Seés vous jus.

LI FISISIENS

Cha, une fois
1010 Me donnés, s'il vous plaist, a boire.

GILLOS

Tenés; et mengiés cheste poire.

LI MOINES

Biaus ostes, escoutés un peu :
Vous avés fait de mi vo preu;

---

1. **Sur le froc du moine pris pour gage, voir le commentaire de la page 136** ***le Tavernier.***

L'HÔTE

Combien qu'il vous en coûte et vous ennuie,
vous attendrez ici le coq,
ou vous me laisserez là ce froc.
Vous aurez le corps et moi l'écorce.

LE MOINE

Hôte, me ferez-vous donc violence?

L'HÔTE

Oui, si vous ne me payez.

LE MOINE

Je vois bien que je suis bafoué,
mais c'est la dernière fois.
Sur ce, je m'en irai avant
que revienne un nouvel écot.

LE MÉDECIN [1]

Moine, vous n'êtes pas fou
de vous en aller, par ma tête!
Certes, seigneurs, vous vous tuez,
vous serez tous paralytiques,
ou je tiens la médecine pour fausse,
quand, à cette heure, vous êtes encore là.

GILLOT

Maître, vous perdez le sens
car je ne la prise pas une noix.
Asseyez-vous.

LE MÉDECIN

Çà, une fois
donnez-moi à boire s'il vous plaît.

GILLOT

Tenez et mangez cette poire.

LE MOINE

Bel hôte, écoutez un peu :
vous avez fait de moi votre profit;

1. Réapparition du médecin, pour deux répliques; il reste bien tel qu'il était au début de la pièce : sûr de soi, donneur de leçons.

Wardés un petit mes relikes,
1015 Car je ne sui mie ore rikes;
Je les racaterai demain [1].

LI OSTES

Alés, bien sont en sauve main.

GILLOS

Voire, Dieus!

LI OSTES

Or puis preeschier.
De saint Acaire vous requier,
1020 Vous, maistre Adan, et a vous, Hane,
Je vous pri ke cascuns recane
Et fache grant sollempnité
De che saint c'on a abevré,
Mais ch'est par un estrange tour.

LI COMPAIGNON cantent

1025 *Aie se siét en haute tour* [2].
Biaus ostes, est che bien canté?

LI OSTES

Bien vous poés estre vanté
C'onques mais si bien dit ne fu.

LI DERVÉS [3]

Ahors! Le fu! Le fu! Le fu!
1030 Aussi bien cante jou k'il font.

---

1. Le moine sort. Bien sûr, il a gardé son froc. Ce sont les reliques qu'il a laissées en gage. Des reliques en gage dans un tripot! voilà qui est bien irrespectueux, du moins pour le sens du sacré que nous avons hérité de la Réforme et de la Contre-Réforme. Tourner les saints en dérision était une pratique courante chez les poètes d'Arras : un saint symbolise la boisson, l'autre la gourmandise, un troisième (saint Oison) la sottise. Il ne faut certainement pas trop en conclure. — 2. Premier vers d'une chanson de toile perdue. On appelait « chanson de toile » des compositions musicales chantées par les femmes à leur ouvrage. Parlant des refrains chantés insérés dans le *Jeu*, M. Jacques Chailley écrit : « ... il [Adam de la Halle] emprunte à la coutume des romans l'idée de faire chanter quelques refrains à ses personnages; [...] nous retrouverons cette conception considérablement amplifiée dans son *Jeu de Robin et Marion* (*Histoire musicale du Moyen Age*, p. 203-204). — 3. La scène se passe maintenant à l'extérieur de la taverne. Le dervé et son père rencontrent le moine.

gardez un peu mes reliques,
car je ne suis pas riche en ce moment;
je les rachèterai demain.

L'HÔTE

Allez, elles sont en bonnes mains.

GILLOT

Grand Dieu oui!

L'HÔTE

Je peux maintenant prêcher.
Au nom de saint Acaire, je vous requiers,
vous, maître Adam et vous, Hane,
je vous prie chacun de braire
et de faire une grande solennité
à ce saint qu'on a abreuvé,
mais par un étrange tour.

LES COMPAGNONS *chantent*

*Aie est assise sur une haute tour.*
Bel hôte, est-ce bien chanté?

L'HÔTE

Vous pouvez bien vous vanter
que jamais cela ne fut si bien dit.

LE FOU

Dehors! Le feu! le feu! le feu!
Je chante aussi bien qu'ils le font.

---

- **La religion dans « le Jeu de la feuillée » (v. 1018-1024)**

**« La question de la religion dans *le Jeu de la feuillée* mérite quelque attention; on l'a vu, *le Jeu de saint Nicolas* commence à humaniser la religion et Courtois d'Arras le continue, au point de substituer à celle-ci une sorte de très terrestre sagesse. Avec la *Feuillée*, on semble passer dans l'irréligion, voire même dans une sorte d'anti-religion souriante.**
**» Les plaisanteries que le poète se permet de faire au sujet du culte des reliques, le sermon-parodie qu'il fait tenir au tavernier, les saints de comédie qu'il met en scène sont autant d'indices significatifs. Sans vouloir conclure de là à l'incroyance de la population arrageoise au XIII^e siècle, en général, il faut pourtant remarquer qu'entre *le Jeu de saint Nicolas* et les audaces de la *Feuillée*, l'évolution de la ferveur religieuse a dû suivre une courbe descendante » (Marie Ungureanu, op. cité, p. 204).**
**On lira, dans les documents publiés à la fin de ce volume (p. 185 et suiv.), la discussion de ce point de vue.**

---

LI MOINES

Li chent diavle aporté vous ont!
Vous ne me faites fors damage[1].
Vo pere ne tieng mie a sage
Quant il vous a ramené chi.

LI PERES AU DERVÉ

1035 Chertes, sire, che poise mi.
D'autre part, je ne sai ke faire,
Car, s'il ne vient a saint Acaire,
Ou ira il querre santé?
Chertes, il m'a ja tant cousté
1040 K'il me couvient querre men pain.

LI DERVÉS

Par le mort Dieu, je muir de fain.

LI PERES AU DERVÉ

Tenés, mengiés dont cheste pume.

LI DERVÉS

Vous i mentés, ch'est une plume.
Alés, ele est ore a Paris.

LI PERES

1045 Biaus sire Dieus, con sui honnis
Et perdus, et k'il me meskiét!

1. On a déjà observé que le saint homme de moine supportait mal le dervé, mais à quel dommage fait-il ici allusion? Peut-être le rend-il responsable du mauvais tour dont il a été victime à la taverne.

---

- **Le langage du dervé (v. 1043-1044)**

**« Ces *derveries* ou *fatrasies*, comme on disait à l'époque, sont à distinguer soigneusement des *bourdes* dont s'émaillaient, à la même date, maints propos de jongleurs; la bourde est une absurdité explicite, une contradiction dans les termes, tandis que les *derveries* auxquelles nous avons affaire ici se caractérisent par une absence totale de suite dans les propos; la nuance est d'importance. Ce qui est comique, dans les fatrasies que prononce le dervé, ce n'est pas (ou du moins ce n'est pas essentiellement) le sens de chacune des phrases débitées; c'est bien plutôt le manque complet de lien logique entre chaque phrase et la suivante : chacune d'entre elles jouit d'une autonomie dérisoire; pour une fois le langage a brisé le contrat,**

LE MOINE

Les cent diables vous ont apporté!
Vous ne me faites que du tort.
Je ne tiens pas votre père pour sage
de vous avoir ramené ici.

LE PÈRE DU FOU

Certes, sire, cela me peine.
Mais, d'autre part, je ne sais que faire,
car, s'il ne vient pas à Saint-Acaire,
où ira-t-il chercher la santé?
Pour sûr, il m'a déjà tant coûté
qu'il me faut gagner [1] mon pain.

LE FOU

Par la Mort Dieu, je meurs de faim.

LE PÈRE DU FOU

Tenez, mangez donc cette pomme.

LE FOU

Vous mentez, c'est une plume.
Allez, elle est maintenant à Paris [2].

LE PÈRE

Beau sire Dieu, comme je suis honni
et perdu, et qu'il m'arrive malheur!

---

1. Le père du fou peut espérer apitoyer le moine par sa pauvreté; d'où la traduction de *querre* par « mendier » chez Langlois et Frappier-Gossart; mais, si l'on se souvient que le père du fou s'est dit potier à Duisans (v. 535), et qu'au vers 1082 il déclare avoir son blé à vendre, on pourra préférer notre traduction. — 2. Le fou a jeté la pomme.

**fondé sur l'utilité de la communication, qui le lie à nous, et il prend son essor, ne suivant plus d'autre loi que son bon plaisir, non pas répugnant au bon sens — comme c'est le cas de l'absurdité ou de la contradiction dans les termes —, mais indifférent à toute espèce de sens; pour une fois le langage s'est libéré de toute entrave, et il va à son allure propre, ne servant absolument plus à rien, sinon à faire rire le bon peuple » (Robert Garapon,** *La Fantaisie verbale et le Comique dans le théâtre français du Moyen Age à la fin du XVII*^e^ *siècle*, **p. 27).**

LI MOINES

Chertes, ch'est trop bien emploiét
Pour coi le ramenés vous chi?

LI PERES

Hé! sire, il ne feroit aussi
1050 En maison fors desloiauté.
Ier le trouvai tout emplumé
Et muchiét par dedens se keute.

MAISTRE HENRIS

Dieus! Qui est chieus qui la s'akeute [1].
Boi bien! Le glout! Le glout! Le glout!

GILLOS

1055 Pour l'amour de Dieu, ostons tout,
Car se chieus sos la nous keurt seure,
. . . . . . . . . . . . . . . . . . . .
Pren le nape, et tu, le pot tien.

RIKECHE

Foi ke doi Dieu, je le lo bien,
1060 Tout avant ke il nous meskieche.
Cascuns de nous prengne se pieche.
Aussi avons nous trop veilliét.

LI MOINES

Ostes, vous m'avés bien pilliét,
Et s'en i a chi de plus rikes;
1065 Toutes eures, cha mes relikes.
Vés chi doze saus ke je doi [2].
Vous et vo taverne renoi;
Se j'i revieng, diavles m'en porche!

LI OSTES

Je ne vous en ferai ja forche.
Tenés vos relikes.

1. Le fou, de l'extérieur de la taverne, boit les verres des compagnons assis à l'intérieur. — 2. Comment les a-t-il gagnés?

LE MOINE

Certes, c'est très bien employé [1],
pourquoi le ramenez-vous ici?

LE PÈRE

Hé! Seigneur, il ne ferait aussi
à la maison que des sottises.
Hier je l'ai trouvé tout emplumé
et caché dans sa couette [2].

MAÎTRE HENRI

Dieu! qui est celui qui s'accoude là?
Bois bien! Le glouton! Le glouton! Le glouton!

GILLOT

Pour l'amour de Dieu, ôtons tout,
Car si ce fou-là nous court sus [3],
. . . . . . . . . . . . . . .
Prends la nappe, et toi, tiens le pot.

RIQUIER

Foi que je dois à Dieu, je le conseille bien,
avant qu'il ne nous arrive malheur,
que chacun de nous prenne son objet.
Aussi bien avons-nous trop veillé.

LE MOINE

Hôte, vous m'avez bien pillé,
et pourtant il y en a ici de plus riches;
toutefois, donnez-moi mes reliques.
Voici douze sous que je dois.
Je renie vous et votre taverne;
si j'y reviens, que le diable m'emporte!

L'HÔTE

Je ne vous y forcerai jamais.
Tenez vos reliques.

---

1. Autrement dit : c'est bien fait. — 2. Dessus de lit, édredon bourré de plumes. — 3. Le vers 1057 manque.

LI MOINES

1070 Or cha!
Honnis soit ki m'i amena!
Je n'ai mie apris tel afaire.

GILLOS

Di, Hane, i a il plus ke faire?
Avons nous chi rien ouvlïé?

HANE

1075 Nenil, j'ai tout avant osté.
Faisons l'oste ke bel li soit.

GILLOS

Ains irons anchois, s'on m'en croit,
Baisier le fiertre Nostre Dame [1]
Et che chierge offrir, k'ele flame :
1080 No cose nous en venra mieus.

LI PERES

Or cha, levés vous sus, biaus fieus,
J'ai encore men blé a vendre.

LI DERVÉS

Ke ch'est? Me volés mener pendre,
Fieus a putain, leres prouvés?

LI PERES

1085 Taisiés. C'or fussiés enterrés,
Sos puans! Ke Dieus vous honnisse!

LI DERVÉS

Par le mort Dieu, on me compisse
Par la desseure, che me sanle.
Peu faut ke je ne vous estranle.

1. Divers documents font état d'une feuillée établie sur une place d'Arras sous laquelle était exposée la châsse de Notre-Dame au mois de mai. En 1285 lors d'une émeute du petit peuple contre les échevins, les insurgés s'emparèrent de la châsse, la brisèrent et en rapportèrent les restes à la cathédrale. Cette dernière réplique de Gillot tend à montrer que l'irrespect à l'égard des moines et de certaines reliques ne va pas jusqu'à l'irréligion.

LE MOINE

Or ça!
Honni soit qui m'y amena!
e ne suis pas habitué à de tels procédés.

GILLOT

Dis, Hane, y a-t-il quelque chose de plus à faire?
N'avons-nous rien oublié ici?

HANE

Rien, j'ai déjà tout enlevé.
aisons en sorte que ce soit agréable à l'hôte.

GILLOT

Mais nous irons d'abord, si l'on m'en croit,
aiser la châsse de Notre-Dame,
t offrir ce cierge, pour qu'elle soit illuminée :
os affaires en iront mieux [1].

LE PÈRE

Or çà, levez-vous, beau fils,
ai encore mon blé à vendre.

LE FOU

Qu'est-ce que c'est? voulez-vous me mener pendre,
ls de putain, voleur prouvé?

LE PÈRE

aisez-vous, puissiez-vous être enterré,
ou puant! Que Dieu vous honnisse!

LE FOU

ar la mort de Dieu, on me compisse
e là-haut, il me semble.
eu s'en faut que je ne vous étrangle.

---

1. Adam de la Halle a bien observé ici ce qu'il entre de préoccupations terre terre dans la dévotion de Gillot.

---

- **Le dénouement**

**« Voilà un dénouement agité. Ces allées et venues, ces brusques changements d'attitude, cette mimique compliquée étaient un très puissant élément comique qu'aujourd'hui nous restituons avec peine, mais qui éclatait sur le théâtre » (Henri Guy, op. cité, p. 352).**

---

LI PERES

1090 Aimi! Or tien che crokepois.

LI DERVÉS

Ai je fait le noise du prois?

LI PERES

Nient ne vous vaut, vous en venrés.

LI DERVÉS

Alons, je sui li espousés.

LI MOINES

Je ne fach point de men preu chi,
1095 Puis ke les gens en vont ensi,
N'il n'i a mais fors baisseletes,
Enfans et garchonaille[1]. Or fai,
S'en irons; a saint Nicolai
Commenche a sonner des cloketes.

EXPLICIT LI JEUS DE LE FUELLIE

1. « Peut-être le moine désigne-t-il ainsi les petites servantes, les domestiqu[es] encore jeunets et les apprentis qui se rendent à la première messe » (Jean Fra[p]pier, *le Théâtre profane...*).

LE PÈRE

Hélas! attrape ce coup de bâton.

LE FOU

Ai-je fait le bruit du derrière?

LE PÈRE

Rien ne vous vaut, vous viendrez.

LE FOU

Allons, je suis l'épousé.

LE MOINE

Je ne fais point mon profit ici,
puisque les gens s'en vont ainsi,
et qu'il n'y a plus que des filles,
des enfants et de la valetaille. Allons,
nous nous en irons; à Saint-Nicolas
les cloches commencent à sonner.

FIN DU JEU DE LA FEUILLÉE

- **Le mot de la fin**

**Le dernier mot reste au moine, et c'est un mot de caractère (v. 1094). Rappelons que ce personnage prononce 106 vers sur 1099, ce qui lui donne le deuxième rôle dans la pièce. *Le Jeu de la feuillée* s'achève au petit matin dans la lassitude et la désillusion. « Cette petite fête [...] se termine par une débâcle » (Henri Guy, op. cité, p. 350).**

Sceau de la ville
d'Arras
1439

*Ph.* © *Goldne*

Sceau du comt
Robert d'Artoi
mort en 1250

*Ph.* © *Giraudon*

*Arras, Arras, ville de chicane*
*et de haine et de calomnie,*
*si noble vous avez été !*

*Congé d'Adam*, v. **13** et suiv.

# LE « CONGÉ » D'ADAM DE LA HALLE

Le Congé est un genre littéraire qui apparaît à Arras au XIII^e^ siècle. Le poète, qui s'apprête à quitter la ville, adresse une série de compliments à quelques-uns de ses compatriotes. Jean Bodel, Baude Fastoul et Adam de la Halle ont laissé des Congés. Celui d'Adam de la Halle présente des qualités originales : la critique la plus âpre s'y mêle aux louanges obligées. Mais il est important surtout pour la compréhension du *Jeu de la feuillée.* L'une et l'autre œuvre ont pour thème le départ d'Adam. S'agit-il du même départ? Pour les uns, le *Jeu* est antérieur au *Congé ;* dans le *Congé* c'est parce qu'il en est chassé qu'Adam quitte Arras. Pour les autres, le *Congé* et le *Jeu* ont été écrits à la même époque, il y est question du même départ. Les différences entre les deux œuvres s'expliquent par le fait qu'elles ne sont pas adressées au même public. On trouvera, dans les notes de notre traduction, les éléments de ce débat. Pour traduire le *Congé*, nous avons utilisé le texte excellemment édité par M. Ruelle (*Les Congés d'Arras*, P.U.F.).

# C'EST LE CONGÉ D'ADAM

I

Comment que mon temps j'aie passé
ma conscience m'a accusé
et toujours montré le meilleur,
tant me l'a dit et répété
5 que tout plaisir j'ai refusé
pour tenter de gagner honneur.
Mais le temps perdu, je le pleure.
Las! donc j'ai dépensé la fleur
au siècle [1] qui m'a amusé [2],
10 mais c'est là force de seigneur [3],
et chaque amant, de l'erreur
me doit tenir pour excusé.

II

Arras, Arras, ville de chicane
et de haine et de calomnie,
15 si noble vous avez été!
On dit partout qu'on vous réforme,
mais si Dieu le bien ne ramène,
je ne vois qui vous purifie.
On y aime trop croix et pile [4].
20 Chacun fut Berthe [5] en cette ville,

---

1. *Siècle :* le monde et ses plaisirs. — 2. Le verbe amuser a eu longtemps le sens de « faire perdre le temps ». — 3. Le pouvoir seigneurial de l'amour. — 4. Pile ou face, c'est-à-dire les deux faces d'une pièce de monnaie, par extension l'argent. Voir la satire des avares dans *le Jeu de la feuillée* (p. 43, v. 200-227). — 5. *Berthe*, personnage d'un *exemplum* figurant dans un sermon. Berthe, maîtresse de la fortune de son mari, en avait usé largement pour ses besoins propres sans songer jamais aux pauvres. Après sa mort, elle ne trouva personne pour faire dire des messes à son intention.

quand on y était à la huche [1].
Adieu, de fois plus de cent mille;
ailleurs vais ouïr l'Évangile,
car là on ne fait que mentir.

III

25 Qu'encore soit Arras maltraité,
mais y sont gens de bien reniés [2],
de qui je veux prendre congé;
ils ont mis en train maintes fêtes
et souvent beaux festins donné,
30 dont l'usage se va perdant
car on y a fauché si près
qu'on leur a tout coupé le pied
sur quoi leurs jeux étaient fondés [3].
On a fait grand mortel péché
35 d'avoir tant à rive tiré
que tel vivier est épuisé [4].

IV

Puisqu'on en est à congé prendre,
je dois premièrement descendre
vers qui plus à regret je laisse.
40 J'irai mieux occuper mon temps,
nature en moi n'est plus si tendre
que je fasse poème ou chant;

1. Quand on était dans l'abondance. — 2. *Reniés :* c'est-à-dire que les autres habitants d'Arras les renient. — 3. La fiscalité a amoindri les disponibilités des mécènes. C'est sans doute pourquoi Adam de la Halle entrera au service du comte d'Artois puis de Charles d'Anjou. — 4. L'image, empruntée au monde des activités agricoles, est glosée ici par une image venue de la pêche.

les ans rabattent mes élans [1],
je ferais volontiers remise
45 de ce que le plus cher vendais.
Les ignorants j'ai trop hantés,
grave m'en est le préjudice :
mieux vaut avoir appris qu'apprendre.

V

Adieu Amour, très douce vie,
50 la plus joyeuse et la plus lie
qui puisse être fors Paradis.
Vous m'avez payé de retour
si j'ai pour vous quitté clergie [2];
par vous je viens de la reprendre,
55 car j'ai en vous le vouloir pris
de racheter l'estime et prix
que par vous je n'ai pas perdu [3];
mais j'ai, en vous servant, appris,
car j'étais détaché et nu,
60 avant, de toute courtoisie.

VI

Belle très douce amie chère,
je ne puis faire bon visage,

1. A moins qu'il n'y ait là une coquetterie d'auteur dont le lyrisme s'étiole et qui aspire à des œuvres plus sérieuses, il y faut voir une allusion à l'âge d'Adam de la Halle. Si le *Congé* est contemporain du *Jeu*, comme l'admettent et Henri Guy et Ernest Langlois et M. Frappier, les deux œuvres appartiennent à la maturité d'Adam de la Halle : cela modifie l'interprétation que l'on se fait généralement du portrait de Maroie au début du *Jeu*. Du reste, Adam de la Halle est mort en 1286 ou en 1287; si l'on retient 1276-1277 pour la date du *Jeu* et du *Congé*, il devient possible d'y voir l'œuvre d'un homme de quarante ans, marié depuis peut-être vingt ans. A moins, bien sûr, que le *Congé* ne soit très postérieur au *Jeu*. — 2. Non point la condition de clerc, on a vu que seule la bigamie pouvait en priver, mais la qualité de clerc, l'activité du clerc, c'est-à-dire l'étude. — 3. Adam de la Halle est ici à la fois délicat et embarrassé. Relire les vers 1 à 12 du *Jeu*.

plus dolent de vous me sépare
que de chose que laisse arrière.
65 De mon cœur serez trésorière
et le corps ira autre part
apprendre et chercher le savoir;
à valoir mieux, vous aurez part :
mieux je vaudrai, mieux vous sera.
70 Pour mieux fructifier plus tard,
au bout de trois ou de quatre ans
on laisse sa terre en jachère [1].

VII

Congé demande, de cœur dolent,
au meilleur et au plus vaillant
75 d'Arras, et tout le plus loyal,
Simon Esturion d'abord,
sage, débonnaire et patient,
hospitalier, preux à cheval,
compagnon gai et libéral,
80 point médisant, sans fiel, sans mal,
beau parler, honnête et riant,
et qui aime d'amour sincère :
je ne connais homme ici-bas
que femmes doivent aimer tant.

VIII

85 Bien dois avoir en souvenance
deux frères en qui j'ai confiance,
seigneur Baude et seigneur Robert

1. Le mobile du départ d'Adam est ici clairement exprimé : il va reprendre ses études pour améliorer sa qualification et ainsi aspirer à de plus hautes fonctions. Ce but est-il compatible avec l'âge relativement avancé que s'attribue Adam à la strophe IV? Oui, on pouvait être étudiant toute sa vie au Moyen Age : les études préparaient moins à une profession qu'elles ne constituaient une fin en soi ou un mode de vie.

Le Normand; ils m'ont dès l'enfance
nourri et fait maint bienfait.
90 Et si le corps ne le rend pas,
le cœur à ce s'attachera
qu'ils en seront récompensés
si Dieu remplit mon espérance.
Leurs huis m'ont été bien ouverts;
95 cœur qui perd telle compagnie
doit bien pleurer quand il s'en va [1].

## IX

Bien est droit, puisque je m'en vais,
que congé prenne aux Pouchinois,
et nommément au frère aîné.
100 C'est seigneur Jacquemon [2] — d'abord,
lequel ne paraît pas bourgeois
à sa table, mais empereur.
Au besoin, je l'ai trouvé père,

1. « Adam n'avait point de position stable; il subsistait tant bien que mal grâce à ses protecteurs dont la générosité diminuait à mesure que les charges du poète devenaient plus lourdes. L'usage des fêtes et des banquets touchait à la décadence. Pour ceux qui ne possédaient point d'autres rentes que les cadeaux de leurs amis, l'heure avait sonné d'aller *ouïr l'évangile ailleurs.* Les artistes d'Arras ne devaient plus compter que sur eux-mêmes... » (Henri Guy, op. cité, page 66). Pour notre auteur, les mêmes circonstances ont inspiré à Adam de la Halle *le Congé* et *le Jeu de la feuillée;* lequel de ces deux ouvrages exprime les sentiments réels d'Adam à l'égard de sa femme? — 2. *Jacquemon Pouchin :* des documents le présentent comme le principal persécuteur de Thomas de Bouriane, victime de la politique de l'échevinat à une date antérieure au *Jeu de la feuillée* puisque, dans cette pièce, Adam de la Halle le défend avec éclat (vers 806 à 819). Il y a donc sur ce point contradiction entre le *Jeu* et le *Congé;* contradiction qui prend tout son sens quand on sait que les personnages auxquels s'adresse Adam dans le *Congé* appartiennent à la haute bourgeoisie d'Arras, celle-là même qui est brocardée dans le *Jeu.* Duplicité de poète? Différence de dates? n'est-il pas possible de considérer les strophes IX et X du *Congé* comme un tissu d'éloges ironiques à la façon de certaines strophes du *Testament* de Villon? Les vers 104-106 et 115-120 sont assez obscurs et cachent peut-être une satire âpre qui aujourd'hui nous échappe.

car il sut dire ce qu'il faut
105 pour qu'on m'aide au sortir d'Artois.
Avares me donnent courage;
j'ai été vert, mais je mûris :
Du fruit n'auront que les courtois.

X

Sire Pierre Pouchin, beau sire,
110 je ne dois pas être sans peine
quand de vous partir me convient :
tant m'avez fait, Dieu vous le rende,
qu'en vous quittant mon cœur soupire,
toutes les fois qu'il m'en souvient.
115 La ville est bien venue à rien,
de quoi la cité devient bonne,
de votre fait, bien l'ose dire
plus que pour homme qui s'y tient.
Pour avoir chacun qui là vient,
120 mettez votre sergent au Pire [1].

XI

Puisqu'aller dois hors de mon lieu,
Hariel, Robert Nasart [2], adieu.
Gilles le père, Jehan Joie,
vous n'avez rien contre les joutes,
125 en lices avez fait grand frais
et maints beaux draps d'or et de soie
mis en fête : las! elle s'est tue
la bonne ville où je voyais

1. Le *Pire* était un chemin pavé qui unissait la ville à la Cité d'Arras. — 2. *Robert Nasart :* patricien d'Arras, membre de l'échevinat, il fut condamné à l'exil et à la perte d'une partie de ses biens pour s'être opposé aux autorités de la ville.

chacun rivaliser d'honneur [1].
130 Il me semble encore que je voie
que les airs brûlent et flamboient
de vos fêtes et de vos jeux.

## XII

Bien dois parler entre les bons
de l'élégant Colart Nasart,
135 bon et net, courtois et gentil.
Je le préfère à tous les jeunes,
encore qu'il n'en ait pas besoin,
car, serait-il tombé des cieux,
il semble être le fils d'un roi
140 et vient si bien qu'il ne peut mieux.
Pour être de valeur longtemps,
Dieu lui fasse employer son temps
si bien qu'il en soit prisé vieux :
du jour est le soir témoin.

## XIII

145 De tous ceux d'Arras à la fin
je prends congé pour que moins fin
ils ne me croient à leur égard ;
mais il y a maints faux prophètes
qui ont parlé de ma famille,

---

1. Le thème de la décadence d'Arras est constant dans le *Congé* d'Adam de la Halle. La situation économique devenue défavorable, les activités de luxe sont les premières touchées : ce sont celles dont vivent les trouvères. On observera que la bourgeoisie arrageoise, quand les affaires sont bonnes, s'adonne à des plaisirs qui sont traditionnellement ceux de la noblesse féodale. Au reste, Adam de la Halle n'a jamais de louange plus délicate à faire que de comparer celui auquel il s'adresse à un empereur ou à un fils de roi. La bourgeoisie nouvelle des villes du Nord n'a pas encore élaboré d'art de vivre et se soumet, sur ce plan du moins, à l'hégémonie de la noblesse.

150 je rendrai chacun d'eux honteux,
car je ne serai point ainsi
qu'ils m'ont jugé, dans leurs hôtels,
quand ils bavardaient après boire,
mais je me ferai le cœur dur
155 et serai fort et vertueux
et droit quand ils seront morts [1].

## ICI FINIT LE CONGÉ D'ADAM

1. Cette dernière strophe, assez âpre de ton, constitue pour certains un argument en faveur de la thèse selon laquelle le *Congé* a été écrit par Adam de la Halle à l'occasion d'un exil. Mais n'est-ce point solliciter un texte qui peut se comprendre plus aisément? Adam de la Halle quitte Arras parce que la vie n'y est plus possible pour un poète, il va reprendre ses études. Son projet suscite le scepticisme et les railleries des malveillants qui ne le croient pas capable de le mener à bien. Il en passe quelque chose dans les premières répliques du *Jeu de la feuillée* et dans les dons de la fée Maglore à Adam (vers 684-691). Les derniers vers du *Congé* semblent montrer que ce scepticisme rejoint, chez Adam lui-même, un certain manque de confiance en soi que trahissent ces résolutions de dureté et de force.

# LE JEU DU PÈLERIN

Plusieurs années après *le Jeu de la feuillée*, alors qu'il était au service du comte d'Artois, Adam de la Halle écrivit *Le Jeu de Robin et Marion*. Cette pastorale chantée eut naturellement une diffusion beaucoup plus grande. Peu de temps après la mort d'Adam, et vraisemblablement dans le souci d'honorer sa mémoire, un entrepreneur de spectacles fit monter *Robin et Marion* à Arras. Il eut l'idée de donner en lever de rideau un texte dialogué de médiocre venue, consacré à la vie d'Adam de la Halle. Gustave Cohen avait présumé qu'il fallait attribuer à Jean Madot, poète et neveu d'Adam de la Halle, la paternité de cette pièce de circonstance. Quoi qu'il en soit, ce prologue intitulé *Le Jeu du pèlerin* constitue un document précieux pour la biographie de l'auteur du *Jeu de la feuillée*.

# LE JEU DU PÈLERIN

LE PÈLERIN

Or paix, or paix, seigneurs, écoutez-moi.
Je vous dirai des nouvelles, si vous attendez un peu,
par quoi tout le pire en vous sera amendé.
Taisez-vous donc tout cois, et ne m'interrompez pas.

5 Seigneur, je suis pèlerin, j'ai fait maint pas
par les villes, les châteaux, les cités et les cols.
Et j'aurais bien besoin d'être au repos [1]
car je n'ai pas partout bien employé mes pas.

Il y a bien trente-cinq ans que je ne me suis arrêté,
car j'ai visité maint bon lieu et maint sanctuaire.
J'ai été à l'Arbre sec et jusqu'à Dureté [2].
Merci à Dieu qui m'a prêté sens et pouvoir.

Je suis allé en Famenie [2], en Syrie, à Tyr,
et dans un pays où l'on est si intègre
que l'on y meurt sur-le-champ quand on veut mentir,
et tout y est commun [3].

LE VILAIN

Je t'en veux démentir.

---

1. Malgré Gustave Cohen, nous ne pouvons traduire par « repas ». *Repas*, ancien français, a le sens d' « exemption » et de « guérison ». — 2. Pays de gende. — 3. Sans doute la première (et combien discrète) manifestation dans s Lettres du mythe de l'état de nature...

Car tu nous fais entendre vessie pour lanterne.
Vous aimeriez mieux vous asseoir à la taverne
que d'aller à l'église.

LE PÈLERIN

Péché fait qui me blâme.
20 Mais je suis très las : j'ai été à Lucerne,

en terre de Labour, en Toscane, en Sicile;
je suis revenu par Pouille où l'on tenait maint propos
au sujet d'un clerc net et subtil, gracieux et noble.
On l'appelait ici maître Adam le bossu,

25 et là-bas Adam d'Arras.

LE VILAIN

Soyez ici
très mal reçu, monsieur! Comme vous puez[1]!
En voilà un bien fait pour truander[2]!
Allez-vous-en d'ici, mauvais vilain puant,

car je sais avec certitude que vous êtes un truand.
30 Allons vite fuyez, ne soyez pas traînard,
ou vous le paierez cher.

LE PÈLERIN

Vous êtes trop impatient,
attendez donc un peu que j'aie fini mon conte.

Paix, pour Dieu, seigneurs. Ce clerc dont je vous parle
était aimé et estimé et honoré par le Comte
35 d'Artois; je vous dirai très bien pour quelle raison.
Ce maître Adam savait inventer des dits et des chants

et le Comte désirait trouver un tel homme.
Quand il en eut connaissance, il l'alla prier
de lui faire un « dit » pour mettre son talent à l'épreuve.
40 Maître Adam, qui sut très bien en venir à bout,

en fit un dont on doit très bien se souvenir
car il est agréable à entendre et bon à retenir.
Le Comte ne le céderait pas pour cinq cents livres.
Maintenant maître Adam est mort, Dieu lui fasse merci!

---

1. Littéralement : « Comme vous avez pelé votre ail! » — 2. Sans doute vilain croit-il que le pèlerin ne parle d'Adam de la Halle que pour se gagner bienveillance des Arrageois.

Je suis allé à sa tombe, dont je remercie le Christ.
Le Comte me la montra, dans sa grande bonté,
quand j'y suis allé, l'autre année.

LE VILAIN

Vilain, fuyez d'ici
ou vous serez bientôt dévêtu;
à votre gîte vous serez bien autrement vêtu.

LE PÈLERIN

Et comment vous nomme-t-on, qui êtes si têtu?

LE VILAIN

Comment, monsieur le vilain? Gautelet le têtu.

LE PÈLERIN

Eh bien, veuillez attendre un peu, mon bon ami,
car on m'a fait il y a longtemps savoir de cette ville
qu'en l'honneur du clerc que Dieu a voulu prendre
on doit ici même apprendre ses dits et les dire.
C'est pourquoi je me suis présenté.

GAUTHIER

Fuyez ou vous serez battu.
Les diables vous ont amené.
Je vous ai longtemps supporté
sans vous faire rouler dans la boue
et ces saints sont enfumés,
ils ont vu maint roi de France [1].

LE PÈLERIN

Hé! vrai Dieu, faites souffrir
tous ceux qui me traitent mal.

GUYOT

Warneret, as-tu entendu
ce que dit ce paysan?
Et comment il nous va contant
les bourdes dont il nous abasourdit.

1. « Enfumés » traduit un « enfunquiet » mal connu. Ces deux vers assez obscurs relèvent peut-être de la *fatrasie*.

WARNERET

Oui. Donne-lui un coup.
70 Je sais bien que c'est un mauvais homme.

GUYOT

Tenez, rentrez donc chez vous,
et n'y revenez plus, vilain.

ROGAL

Quoi donc? Que messire Saint-Guilhem,
Warneret, vous puisse faire danser!
75 Pourquoi faites-vous partir cet homme
qui ne vous fait aucun mal?

WARNERET

Rogal, je suis sur le point de crever,
tant il m'ennuie de l'entendre.

ROGAL

Taisez-vous Warneret, il parle
80 de maître Adam, le clerc d'honneur,
le gai, le large donneur
qui était plein de toutes les vertus.
De tout le monde, il doit être plaint
car il avait mainte belle grâce,
85 et surtout, il savait faire de beaux dits;
et il était parfait pour chanter.

WARNERET

Savait-il donc enchanter [1] les gens?
J'en estime beaucoup moins son talent.

ROGAL

Non, mais il savait faire des chansons,
90 des jeux-partis, des môtets.
Il en fit beaucoup,
et des ballades, je ne sais combien.

---

1. A la rime du vers 87, nous trouvons « parfais en chanter »; Warnere comprend *parfait enchanteur* (on prononçait alors le r final de l'infinitif d 1er groupe. Enchanter est à prendre ici au sens fort, à peu près *ensorceler*.

WARNERET

Je te prie donc de m'en chanter une
qui soit quelque peu connue.

ROGAL

95 Volontiers, j'en sais une qu'il fit,
Je te la chanterai.

WARNERET

Eh bien dis, je t'écouterai,
et cessons tous nos querelles.

ROGAL

*Il n'est si bonne viande que maton!*
00 Est-ce bon, frère Warneret?

WARNERET

C'est l'êtron de votre mère.
Doit-on aimer une telle chanson?

Les 29 derniers vers ne parlent plus d'Adam de la Halle et peuvent être laissés de côté sans dommage pour la réputation de Jean Madot ou de l'auteur anonyme du *Jeu du pèlerin.* On aura remarqué que cette pièce célèbre surtout les talents lyriques d'Adam de la Halle. Le dernier vers du *Jeu du pèlerin* rime avec le premier vers du *Jeu de Robin et Marion.*

# QUELQUES TRAITS DE LA LANGUE DU « JEU DE LA FEUILLÉE »

## 1. La phrase

L'ancien français est la langue des textes littéraires écrits du XI$^{e}$ siècle au début du XIV$^{e}$ dans la partie nord de la France ou domaine d'oïl. Une déclinaison à deux cas, le cas-sujet et le cas-régime, identifie l'ancien français et le distingue du moyen français (XIV$^{e}$-XVI$^{e}$ siècles).

### La déclinaison

Le cas-sujet correspond aux fonctions de sujet, apposition au sujet, attribut du sujet; il est le cas que l'on emploie dans les interpellations. Le cas-régime est celui de tous les compléments.

Marques de la déclinaison :

Un *S* au cas-sujet masculin singulier.
L'absence de *S* au cas-sujet masculin pluriel.

Origines de ces marques :

La deuxième déclinaison latine (*dominus*, *i*)

| Ex. : | | | | | | |
|---|---|---|---|---|---|---|
| NS | *murus* | > murs | | NP | *muri* | > mur |
| AS | *murum* | > mur | | AP | *muros* | > murs |

Extension de ces marques :

La déclinaison n'est pas, en ancien français, une survivance moribonde mais le fait de structure essentielle : d'où l'extension de la marque *S* du cas-sujet singulier, par analogie :

1) aux mots masculins non issus de la 2$^{e}$ déclinaison latine

| ex. : | | |
|---|---|---|
| *maistres* | (v. 37) | de *magister* |
| *ventres* | (v. 248) | de *venter* |
| *peres* | (v. 353) | de *pater* |

2) aux mots féminins non terminés par un *e* sourd (notre *e* muet)

ex. : *avisions* (v. 68)
D'où l'absence de *S* au cas-sujet pluriel à des mots issus de nominatif pluriel latin en *S* :

ex. : crin de *crines* (v. 87)

**La déclinaison et la syntaxe de l'ancien français**

— Qui dit déclinaison dit que les mots portent la marque de leur fonction. Il en résulte une disposition des éléments dans la phrase, différente de celle que connaît une langue sans flexion. En ancien français, des règles rythmiques plutôt que grammaticales déterminent l'ordre des mots. Le verbe occupe *généralement* la position médiane dans la phrase, la première place doit être occupée par un élément accentué (sujet, complément, ou adverbe). La présence d'un complément accentué en tête de phrase entraîne le plus souvent le rejet du sujet après le verbe : quand le sujet est le pronom personnel, il disparaît alors.

| ex. : *Tout* | *emporte li vins* (v. 505) |
|---|---|
| complément d'objet direct | sujet singulier |
| *Le cuer* | *n'avés mie en le cauche* (v. 748) |
| complément d'objet direct | verbe à la 2e personne du pluriel de politesse sans pronom sujet |

Mais l'ordre du français moderne : sujet-verbe-complément est déjà le plus fréquent, ce qui hâtera la ruine de la déclinaison. Les fautes contre la déclinaison se multiplient, et presque toujours dans le même sens : un cas-régime pour un cas-sujet. La prédominance numérique des formes du cas-régime, l'absence de déclinaison aux mots féminins issus de la première déclinaison latine précipiteront cette évolution, à peu près achevée vers 1330.

— L'existence de la déclinaison rend compte de tournures où le substantif est employé sans préposition signe de fonction :

1) le complément déterminatif absolu :

ex. : *et k'il s'ouvlit entre les bras se feme* (v. 688-689)
autres exemples : v. 296, 297, 314, 316

Les conditions d'emploi de cette tournure sont assez rigoureuses : le complément déterminatif est le nom d'une personne bien précise (le pluriel y est bien rare), il désigne le possesseur de ce qui est exprimé par le déterminé (ou le siège du sentiment si le déterminé est un sentiment).

2) le complément d'objet indirect absolu :

ex. : *Ch'est trop boin a dire vo feme* (v. 286)
autres exemples : v. 739 928, 945...
L'examen de ces exemples prouve que l'on a toujours affaire aux mêmes verbes (type : dire, envoyer) et que le complément est presque toujours un nom de personne ou de chose personnifiée (v. 945) ou d'être animé (v. 739).

**Adam de la Halle et la déclinaison**

Le texte du *Jeu de la feuillée* établi par Langlois contient très peu de fautes contre la déclinaison. Les plus fréquentes de ces fautes apparaissent dans les interpellations : *maistre*, *preudon*. Dans le système des adjectifs possessifs on trouve parfois *me* pour *mes* au cas-sujet masculin singulier :

ex. : *Me sire en est en jalousie* (v. 733)

autres exemples aux vers 322, 738, 923
Dans tous les cas le mot suivant est *Sire*. Nous avons peut-être affaire à une confusion entre le *S* final de *mes* et le *S* initial de *sire*. De fait, au vers 353, nous avons *tes peres;* au vers 533 *ses cors n'est onques a repos*.

## 2. Les traits dialectaux de la langue

Cette étude portera sur le texte du *Jeu de la feuillée* établi par Ernest Langlois, texte repris dans notre édition. On a depuis longtemps observé qu'Ernest Langlois avait rajouté des picardismes, chaque fois que le manuscrit lui avait paru fautif. Cela n'a du reste pas défiguré le texte. Mais il fallait préciser que l'étude des traits dialectaux de la langue du *Jeu de la feuillée*, à partir de l'édition Langlois, est dans une certaine mesure suspecte.
Pourquoi parler de traits dialectaux et non de langue picarde? C'est qu'il y a, au XIIe siècle, une littérature picarde nettement différenciée, enracinée dans une société singulière. Mais cette littérature est très marquée sur le plan de la langue par le francien qui domine, depuis le XIIe siècle, la littérature de langue d'oïl. Il se créera, au cours du XIIIe siècle, en Picardie, une langue composite qui peu à peu repoussera le francien de

la littérature picarde où il occupait, avant 1200, de solides positions. Mais cette langue, pour abondante qu'elle soit en traits dialectaux, ne sera jamais la langue picarde. « Il est hors de doute que les scribes du Moyen Age ne connaissaient pas seulement leur propre dialecte. Ils auront ressenti le besoin de normaliser la langue écrite, de la placer pour ainsi dire dans un cadre plus vaste. La *scripta* du domaine d'oïl possède un fonds commun; c'est sur ce fonds que se greffent les traits régionaux, locaux et même individuels et se créent ainsi les traditions graphiques que nous appelons normande, picarde, wallonne ou lorraine » (Ch. T. Gossen, *Petite Grammaire de l'ancien picard*).

Donc, aux XIII^e^ et XIV^e^ siècles, la littérature qui se fait en Picardie se donne une langue originale. Tentative réussie mais sans lendemain : l'unité du royaume de France autour de Paris, le renforcement de la monarchie imposeront le francien, langue de la Cour. Ce qui disparaîtra, ce seront les langues littéraires composites; les dialectes, eux, résisteront beaucoup plus longtemps. Notre étude a donc moins pour objet le picard que la langue littéraire créée au XIII^e^ siècle par les écrivains picards, et singulièrement l'emploi que fait de cette langue littéraire Adam de La Halle.

## Phonétique

Le fait essentiel est le traitement du *C* initial ou après consonne à l'intérieur d'un mot. En francien, le *C* se palatalise devant une voyelle palatale. Cette palatalisation a lieu d'abord devant les voyelles d'avant (*e* et *i*) et aboutit dans ce cas au son *S* sourd (*cera*, prononcez *kera*, donne *cire*); devant *a*, voyelle centrale, la palatalisation de la vélaire *C (K)* aboutit à *ch*, prononcé jusqu'au XIII^e^ siècle *tch* (cf. l'espagnol *mucho*).

Or, dans les dialectes du nord-est, le *C* passe à *ch (TCH)* devant *e* et *i*, voyelles d'avant, mais reste intact devant *a*.

ex. : v. 9 *chi* pour *ci*
v. 15 *che* pour *ce*
v. 407 *prinches* pour *prince*
v. 1 *cangiét* pour *changé*
v. 7 *encantés* pour *enchantés*
v. 12 *caitis* pour *chaitis*

La forme *blanke* (v. 71) s'explique par le fait qu'au moment de la palatalisation de *C* + *e*, *i*, le *a* final de *blanca* était encore intact.
La forme *tenchant* (v. 74) remonte à un verbe du bas latin, *tentiare*, or le groupe *-ti* précédé d'une consonne évolue à *tch* et ne passe pas à *ts* en picard.

— *g* (+ *a*), dans les mêmes conditions que *c* (+ *a*), se maintient en picard et ne passe pas à *j* (*dj*); ex. : *gambete* (v. 147).

— *w* à l'initiale.

Il se maintient généralement en picard et en lorrain dans les mots empruntés au germanique au ve siècle, alors qu'en francien il passe à *gw* puis à *gu* ou *g* (devant *a* et *o*).

ex. : *warde* (v. 50) *wardés* (v. 53)
*waires* (pour *guère*, v. 284 et 321)
*waiterés* (pour *guetterez*, v. 992)
*warist* (pour *garist*, v. 330)

— *o* + *l* + consonne (*o* ouvert suivi d'un *l* vélarisé au contact d'une consonne qui le suit) > *ow*.

En francien *ow* passe par *ou*.
En picard il s'ouvre et donne *au*.

ex. : *vaurrai* (v. 180), *caupé* (v. 357) (francien : *voudrai*, *coupé*)
*vautic* (v. 149) pour *voutis*, *vauc* (v. 257)

— *i* + *l* (+ consonne). En francien le *l* vélarisé devient une voyelle qui est absorbée par le *i* précédent. En picard il survit sous la forme d'un *u* ou d'un *eu*.

ex. : *soutieus* (v. 17), *fieus* (v. 182), *gentieus* (v. 288)
*chieus* (pour *cils*, v. 358), *sourchieus* (v. 94)

— *e* + *l* (+ consonne) aboutit en francien à *eu*, en picard dégagement d'un *a* de transition entre le *e* et le *u* et fermeture du *e* en *i*.

ex. : (v. 243) *chiaus* pour *cels*, *ceus;* français moderne : ceux.
La fermeture du *e* initial, dans la triphtongue *eau*, est un trait caractéristique de la prononciation picarde, d'où *fabliau*, *biau*, *dépiauter*. Cette fermeture n'est pas à proprement parler picarde puisqu'elle s'est produite aussi en francien. Mais, dans ce dialecte, une influence cultivée a fait obstacle à son extension.

— Traitement de la triphtongue *iée*, fréquente dans les participes passés et les suffixes de certains substantifs.
En picard l'élément médian de la triphtongue disparaît;

d'où *deugie* pour *deugiée* (v. 72)
*mautaillie* pour *mautaillée* (v. 73)
*lignie* (qui rime avec maladie) pour *lignée* (v. 222)

— *e, o* protonique + *s*, au contact d'un *yod*, donnent en picard *i* (francien : *oi* ou *ai*) :

v. 225 *okison*, francien *ochoison*
v. 226 *pisson* francien *poisson*
v. 229 *connissiés*, francien *connaissiez*

— *e* fermé, accentué, libre, dans le cas des trois infinitifs, *voir* (< *videre*), *choir* (< *cadere*), *seoir* (< *sedere*), aboutit en picard à *i*.

ex. : *vir* (v. 235)
*sir* (v. 363)

Il s'agit là d'un fait analogique propre au picard. Les trois infinitifs ont été refaits sur le modèle de ceux de la 2e conjugaison d'après une proportion :

| *je partis* | *je vis* |
|---|---|
| partir | vir |

— le groupe *br*
En francien, si le groupe *br*, intervocalique, passe à *vr* (*capra* > *cabra* > chèvre), le groupe *bl* reste intact. En picard il passe à *vl*, mais cette graphie ne nous éclaire pas sur la valeur de ce *v* confondu avec *u*.
Certains mots ne subiront pas l'influence de leurs homologues franciens et iront jusqu'au bout de leur évolution (ex. : *tabula* > *tavle* > tôle).

ex. : *muavle* (v. 21), *delitavles* (v. 76), *ouvliëes* (v. 77)

— le groupe *-sl-* intervocalique
En picard : passage possible de *s* à *r* :
*li dervé*, francien *li desvé*
*varlet*, francien *vaslet*
*merla* (v. 159), francien *mesla*

— les groupes *nl* et *nr*

En francien, pour faciliter la prononciation de ces groupes, nés de la chute d'une voyelle atone, apparaît une consonne de transition issue de la segmentation de la première consonne.

*nr* *nnr*

Le deuxième segment se différencie alors du premier par perte de la nasalité, d'où

*nnr* *ndr*

Pour le groupe *nl*, dont le *n* remonte à un *m* latin, la consonne de transition est un *b* (bilabiale comme *m* mais dénuée de nasalité).

D'où *tendre*, *semble*, etc.

En picard ce phénomène n'a pas eu lieu :

ex. : *tenre* (v. 689), *sanle* (v. 25), *devenra* (v. 34)

— Faits de graphie : *ts* final est noté *z* en francien, *s* en picard, maintien d'un *t* final non appuyé : *cangiét*, *clergiét*, *songiét*, *congiét* (v. 1, 2, 3, 4).

## Morphologie

— *L'article.* Les formes de l'article féminin sont identiques à celles du masculin :

cas-sujet singulier *li cose* (v. 46), *li bouke* (v. 118)
cas-régime singulier *le cote* (v. 128)

Mais là où l'article masculin formerait crase avec une préposition le précédant, l'article féminin reste intact :

*de le moustarde* (v. 44)
*en le verde saison* (v. 58), (mais *ou premier boullon*, v. 57)

— *Les possessifs non accentués* (fr. mod. adjectifs possessifs)

+ cas-sujet masculin singulier 1re et 2e personnes du pluriel *nos*, *vos* (fr. notre, votre).

+ cas-régime masculin singulier, picard : *men*, *ten*, *sen*, *no*, *vo*, *leur ;* francien : *mon*, *ton*, *son*, *notre*, *votre*, *leur.*

+ cas-sujet masculin pluriel, en picard : *no*, *vo ;* francien : *nostre*, *vostre.*

+ cas-régime masculin pluriel, picard : *nos*, *vos.*

+ cas-sujet et cas-régime féminin singulier : *me*, *te*, *se*, *no*, *vo*, *leur ;* francien : *ma*, *ta*, *sa*, *notre*, *votre*, *leur.*

+ cas-sujet et cas-régime féminin pluriel : *nos, vos;* francien : *noz, voz.*

Donc trois faits :

1) ouverture de *on* en *en* au cas-régime masculin singulier;

2) affaiblissement de *a* en *e* au féminin singulier;

3) généralisation des formes affaiblies des possessifs de la pluralité.

— *Les pronoms personnels compléments non accentués :*

féminin *le* (francien *la*)

— *Les pronoms personnels compléments, formes accentuées :*

Picard *mi, ti, si* pour *moi, toi, soi*
*aux, iaux* pour *eux*

« Le *mi* picard ne recouvre pas tout le terrain occupé par le *moi* francien » (Lucien Foulet).

— *Les verbes*

1) Par extension d'une désinence — *C* ou *Ch*, étymologique dans les formes *fac, fach* (de *facio*), *plac* (de *placeo*), *tac* (de *taceo*), on a, dans *le Jeu de la feuillée*, les 1res personnes du singulier présent de l'indicatif suivantes :
*je ne vauc* (v. 257); *aporc* (v. 346); *jel venc* (v. 910); *mout me repenc* (v. 697).

2) Par extension d'une désinence — *Ch*, régulière dans les formes *hache* (v. 690), *fache* (v. 327), *tache*, on obtient les formes analogiques suivantes au présent du subjonctif :
*ke tu me baches* (v. 552); *meche* (v. 325 et 657); *m'en porche* (v. 1068).

3) des futurs et conditionnels avec insertion d'un *e* :
*ravera* (v. 460); *metera* (v. 474); *je perderoie* (v. 508), etc.
Ce fait ne concerne évidemment que les verbes n'appartenant pas à la première conjugaison en *-er*, puisque, pour ces derniers, le *e* est étymologique, remontant à un *a* latin devenu prétonique.

# ÉLÉMENTS POUR UNE MISE EN SCÈNE DU « JEU DE LA FEUILLÉE »

La question de la mise en scène se pose dans les termes suivants pour *le Jeu de la feuillée :*

On ne sait rien des conditions dans lesquelles cette pièce a été représentée. On peut supposer que les personnages réels y jouaient leur propre rôle et que les personnages imaginaires (le médecin, Dame Douche, etc.) étaient joués par des habitants d'Arras appartenant au même milieu que ceux qui figurent sous leur propre nom dans le *Jeu*. Peut-être *le Jeu de la feuillée* n'a-t-il été représenté qu'une seule fois. Le fait est, nous le savons, que sur les trois manuscrits conservés, un seul est complet ; les deux autres ne comportant que la partie de la pièce consacrée au départ d'Adam, c'est-à-dire aux rapports du mariage avec l'amour et au portrait de Maroie. Le reste a dû vite cesser d'être intelligible.

Peut-on tirer, de la lecture du *Jeu de la feuillée*, des indications scéniques ?

En ce qui concerne le lieu scénique lui-même, peu de choses. En revanche, sur son aménagement et les accessoires nécessaires, le texte nous renseigne mieux. Il n'est pas toujours facile de déterminer les entrées et les sorties des personnages. Dans certains cas on peut penser qu'ils cessent d'être actifs tout en restant sur la scène. Cependant la pièce est ponctuée par les arrivées et les départs successifs de Dame Douche, du Moine, du « Fisisien ».

M. Thomas Walton écrit : « Les acteurs deviennent le public, le public devient les acteurs selon les nécessités de la pièce. Jamais on n'a vu, depuis, une aussi totale compréhension entre l'auteur, les acteurs et le public. » Le même critique estime difficile de déterminer quelles répliques viennent de la salle et quelles répliques sont prononcées sur la scène : à la limite, la représentation est l'affaire de tous. Cependant, il faut admettre qu'à deux reprises la scène se trouve complètement vidée de tout protagoniste. Une première fois, dans les instants qui précèdent l'arrivée des fées. Selon M. Walton, le Moine, Riquier, Rainelet et Adam ont alors pris place parmi les spectateurs. (Mais alors comment comprendre que le Moine ait imploré l'autorisation d'assister à *la grant merveille de faerie?*)

De fait, quand Dame Douche fait sa dernière entrée (v. 848), elle est supposée venir d'un autre quartier de la ville. On peut donc suggérer que les personnages réels du *Jeu*, quand ils quittent la scène, prennent naturellement place parmi le public, tandis que les personnages imaginaires (qu'ils soient réalistes ou légendaires) sortent du lieu de la représentation, à l'exception du Moine, autorisé par Riquier à demeurer.

La scène apparaît une seconde fois vide après le départ des fées conduites par Dame Douche à quelque règlement de compte. Ainsi l'épisode des fées se trouve-t-il nettement détaché, de façon à apparaître comme un spectacle dans le spectacle. Seule, Dame Douche traitera avec les fées, agissant ainsi en tant que médiatrice entre le monde humain et le monde des forces surnaturelles. M. Walton écrit, à son propos : « Son rôle est d'assurer que l'arrivée des fées ne détruise pas la réalité du monde extérieur dans l'esprit des spectateurs. »

La sortie des principaux personnages, à la fin de la pièce, est également significative, selon M. Walton, du contact maintenu entre la représentation et la vie réelle. Chaque personnage quitte la scène pour aller faire ce qu'il est normal qu'il aille faire. Ainsi la pièce s'insère, sans en briser la trame, dans le tissu serré de la vie quotidienne. « Le seul personnage qui à la fois vienne d'un lieu imaginaire et y retourne est le messager d'Hellequin. Dame Douche et les fées partent pour la Croix-au-Pré, un lieu réel; Hane et Gillot vont brûler un cierge à Notre-Dame. L'idiot et son père vont regagner leur maison à Duisans, un village non loin d'Arras, et le Moine, qui restera le dernier, se remet en route quand il entend les cloches de Saint-Nicolas, une église locale... Au cours de la dernière scène bouffonne avec l'idiot, même la table a été débarrassée. »

D'autres détails dans le texte suggèrent que l'auteur a écrit sa pièce avec l'idée d'un lieu précis et connu, comme espace dramatique. La remarque du Dervé :

*Par le mort Dieu, on me compisse*
*Par la desseure, che me sanle* (vers 1087-88),

de même que le passage si discuté :

*Or me prestes donques un voirre,*
*Par amour, et si seons bas.*
*Et che sera chi li rebas*
*Seur coi nous meterons le pot* (vers 915-918)

suggèrent « un lieu où quelques spectateurs pouvaient réellement être assis au-dessus *(par desseure)* de la scène — peut-être une fenêtre, ou même un balcon — et où quelque détail architectural évident pouvait être utilisé comme un rebord sur lequel poser les pichets de vin ».

De quel lieu s'agissait-il?

Selon M. Walton, « il est impossible d'affirmer que *le Jeu de la feuillée* a été joué sous une tonnelle de feuillage. Certes, les jardins des auberges françaises en comportaient fréquemment une, comme le montre *le Jeu de saint Nicolas* de Jean Bodel. Mais rien ne prouve, dans notre texte, qu'une telle tonnelle ait existé à l'extérieur de la taverne de Raoul le Waisdier ». Tel n'est pas l'avis de Lucien Dubech *(Histoire générale illustrée du théâtre)* :
« Le *Jeu* dut être monté dans un théâtre de verdure, d'où son nom de *Jeu de la feuillée.* La scène représente une clairière. Dans un coin, une table et des escabeaux. Effets de clair de lune et apparitions féeriques au son de doux instruments. Mais le *Jeu* commence dans une lumière très réelle. »

*Bibl. de l'Arsenal, Ph.* © *Bulloz*

LA RUE AU MOYEN AGE

Miniature extraite du *Gouvernement des Princes*

# ÉTUDE DU « JEU » — JUGEMENTS

En 1890, JOSEPH BÉDIER publie dans la *Revue des Deux Mondes*, un important article sur le théâtre profane au Moyen Age. Il y fait une place considérable au *Jeu de la feuillée*, dont il dégage l'originalité :

> *Ce sont ces bourgeois d'Arras qu'Adam va portraiturer au vif dans* le Jeu de la feuillée; *c'est eux qui monteront les premiers sur une scène comique française. Ils y monteront, non point pour y figurer des types généraux, mais en personnages bien vivants, de chair et d'os. Nous ne verrons point paraître sur cette scène les caractères abstraits de l'échevin, du boutiquier, du Prince du Puy, mais des individus parfaitement réels, qui y seront représentés sous leurs vrais noms et qualités, tels que nous les indiquent, pour plusieurs d'entre eux, des mentions de registres communaux ou de livres de comptes du temps. Ce sont les silhouettes de tel ou tel bourgeois, parfaitement reconnaissable pour les contemporains, qui passeront sous nos yeux, un peu chargées, esquissées par un de leurs pairs, le tout jeune Adam de la Halle.*
>
> *Cet Adam, récemment échappé de l'abbaye de Vaucelles, déjà célèbre, peut-être, dans le Puy, par ses chansons et ses partures, était fils d'un vieux employé de l'échevinage, maître Henri, qui lui aussi est mis en scène, et qui, peut-être, disait lui-même son bout de rôle.*
>
> *Mais, ce qui nous déconcerte, c'est que ces bons vivants, bien en chair, figureront sur les tréteaux avec des êtres incorporels et irréels, venus du pays où les robes sont couleur de printemps — avec des fées et des lutins. Le* Jeu de la feuillée *est à la fois une comédie personnelle, satirique, réaliste, et un rêve fantastique ou, comme le dit Adam,* une grant merveille de faerie. *Ainsi se marque déjà, par une ressemblance générale, cette convenance parfaite du* Jeu *d'Adam à son public, dont nous retrouverons de*

> *multiples exemples. Cette dualité bizarre, ce mélange de prose et de rêve, de merveilleux et de réalisme, est bien caractéristique de cette société d'Arras, à la fois terre à terre et poétique, où le bruit des gros sous se mêle à la musique des motets, et qui fait constamment revenir sous notre plume ces deux mots, qu'on a plus coutume d'opposer que d'associer, de bourgeois et de poètes.*

Mais Joseph Bédier est très conscient des limites de l'expérience tentée par Adam de la Halle, limites qui tiennent moins aux insuffisances de l'auteur qu'à l'état de l'art dramatique au XIII^e^ siècle :

> *La caractéristique de cette pièce, c'est le caprice ; elle porte en elle-même le témoignage de sa fragilité, de sa caducité, elle ne représente pas un genre possible qui puisse être asservi à des lois, à des normes ; c'est une fantaisie individuelle, le songe d'une nuit de printemps. On ressent cette impression que le poète n'a pas été soutenu par une tradition établie de conventions, d'habitudes scéniques ; que le théâtre laïque y apparaît dans sa tendre enfance, dans sa puérilité même. L'action y est nulle, le dialogue maladroit, les scènes étriquées ; les personnages n'y vivent que d'une vie rudimentaire ; on entrevoit à peine leurs silhouettes indécises, leurs gestes gauches, comme dans le dessin enfantin d'une miniature du temps ; on sent que l'auteur n'a pas su exploiter ces idées qui lui sont venues, ni mettre dans sa pièce ce qu'il y voulait mettre ; ses imaginations comiques ou poétiques restent en germe ; et cela, parce que son époque elle-même souffre d'un véritable manque de développement du génie dramatique. Le temps n'a pas détruit le théâtre profane du haut Moyen Age ; nous possédons mille récits de grandes fêtes du temps, chevaleresques ou populaires ; dans les salles des châteaux, dans les grandes foires, se succèdent les vielleurs, les chanteurs de geste, les saltimbanques ; jamais nous n'y voyons apparaître des acteurs. De plus, si une scène comique eût alors existé, elle se serait fatalement développée avec richesse, grâce aux sujets comiques que les fabliaux, fort à la mode à cette époque, lui auraient fournis à foison : il est certain que ces fabliaux eussent été exploités dramatiquement, et il est non moins certain qu'ils ne l'ont pas été. Nous possédons pourtant la farce du* Garçon et de l'aveugle, *jouée à Tournai en 1270. Voici l'analyse complète qu'en donne M. Petit de Julleville : « Il n'y a que deux personnages : l'aveugle cherche sa vie en invoquant Dieu, les saints et les bonnes âmes ;*

> *le garçon, Jehannet, s'offre à le conduire ; l'aveugle crédule lui confie sa bourse ; le garçon s'enfuit avec l'argent et crie au volé :* s'il ne vous siet, or mesires — *et c'est tout. Que cette misérable parade de foire ait été répétée dans des centaines de saynètes analogues, nous le croyons très volontiers. Voilà le seul théâtre laïque qu'Adam de la Halle et le haut Moyen Age aient connu ! Qu'il ait pu exister dans le Puy d'Arras des représentations satiriques, une sorte de* commedia dell'arte, *vaguement analogue au* Jeu de la feuillée, *c'est une hypothèse permise, mais indémontrable.*

Le manque d'ampleur et de profondeur critique de ce théâtre du XIIIe siècle renvoie à la société bourgeoise et à l'esprit provincial du Moyen Age, pour lesquels Joseph Bédier est sévère. Il insiste beaucoup sur l'inaptitude des œuvres dramatiques de cette période à franchir les limites de leur époque et à garder quelque intérêt pour nous, autre qu'historique. Sa conclusion est dure pour *le Jeu de la feuillée :*

> *Mais, s'il est permis de constater ces indéniables rapports, peut-on comparer plus longtemps l'ébauche fruste d'Adam aux comédies aristophanesques, Arras à cette Athènes que célèbre le chœur des* Nuées, *« à l'antique Athènes, couronnée de violettes, la belle et brillante ville, qui porte sur sa chevelure la cigale d'or » ? La différence essentielle n'est-elle pas celle-ci ? Nous savons pour quelles grandes causes se passionnait au théâtre le peuple athénien, et que ses procès sont encore parfois ceux que débattent les hommes d'aujourd'hui ; nous savons qu'Athènes travaillait à être la métropole intellectuelle, et, disait Périclès, l'école de toute la Grèce. Mais, les bourgeois d'Arras, pour quelle cause luttent-ils ? et pour quelle idée lutte le poète ? A qui en veulent ces satires ? que nous font, à nous, ces querelles municipales, d'échevin à échevin ? Ces hommes n'ont pas conçu une autre forme politique que la féodalité, une autre forme religieuse que leur dévotion ironique, un autre idéal moral que l'honnêteté selon ce siècle. Participant à cette « impuissance du Moyen Age à concevoir autre chose que lui-même », mal faits pour le rêve comme pour la colère, ignorants de toute inquiétude morale, ils se sont reposés dans un optimisme de gens satisfaits. Il leur a manqué le sens de l'effort. Ils n'ont songé qu'à réaliser leur idéal de prudhomie, qui est l'art de bien vivre, et l'ensemble des vertus médiocres. Le* Jeu de la feuillée *a pu les posséder ; que nous importe aujourd'hui ?*

GUSTAVE COHEN, écrivant dans les années 1930 sur *le Théâtre en France au Moyen Age*, ne renouvelle pas l'appréciation portée par la critique universitaire du XIXe siècle sur *le Jeu de la feuillée* :

> *... cette gracieuse pièce, qui est, dans notre littérature médiévale, un cas presque unique, mais qui ne l'est point dans la littérature universelle. Ce mélange de satire politique, de lyrisme, de rêve et de fantaisie, n'est-il pas celui que présente aussi, dans un ambigu si savoureux, la comédie ancienne de l'Attique, nommément chez Aristophane, dont la liberté satirique rappelle encore celle des orgiastes de la procession dionysiaque et d'où la poésie non plus n'est jamais absente? Plus près de nous on pense à Shakespeare et on pense à Musset, mais le rapprochement avec Aristophane reste cependant le plus juste.*

Félicitons-nous de ce que Gustave Cohen ait ajouté aussitôt :

> *Toutefois à quoi bon écraser maître Adam sous ces comparaisons un peu lourdes pour lui et ne pas se borner à souligner la nouveauté du fait littéraire que représente le* Jeu de la feuillée *: l'apparition au théâtre de la satire politique personnelle, la haute et la moyenne bourgeoisie d'Arras y étant blasonnées à découvert, sans que les noms y soient même altérés, ce qui a évoqué l'idée de notre revue de fin d'année?*

Un peu plus loin, Gustave Cohen insiste sur l'importance de la mise en scène du *Jeu :*

> *... il ne se peut point qu'il [Adam de la Halle] n'ait appliqué à sa pièce les procédés scéniques du* Mystère de saint Nicolas *de son compatriote Jean Bodel, ou du drame de la Résurrection, qu'il n'ait juxtaposé sur la scène plusieurs décors, la loge de feuillage, où est dressée la table des fées, et la taverne, qu'il n'ait même devancé les pièces à machine par l'apparition, la toile du fond étant* coulissée, *du plaisant tableau de la roue de Fortune (peut-être les fées mêmes et Croquesot descendaient-ils sur la scène par une* volerie*), et qu'il n'ait joué, en diminuant ou multipliant les chandelles, d'effets de mystère et d'éclat dans la succession de la nuit au jour et du jour à la nuit.*

Suggestions précieuses pour une mise en scène éventuelle du *Jeu*, que Gustave Cohen attribue, avec le bel optimisme qui était le sien pour tout ce qui touche le Moyen Age et sa « grande clarté », à Adam de la Halle lui-même.

MARIE UNGUREANU, *Société et Littérature bourgeoise d'Arras*, 1955. Cet ouvrage important est une thèse d'histoire, préfacée par Lucien Febvre. Une part considérable y est consacrée au *Jeu de la feuillée* :

> *Le* Jeu *est un exemple d'émancipation, de refus de l'autorité, de hardiesse et de confiance en soi; l'auteur de cette pièce ne respecte ni le clergé, ni le pape, ni le patriciat (ni subsidiairement, le comte d'Artois qui patronne les injustices et les abus de ses favoris), ni le mariage, ni la vénération due aux parents, ni les superstitions, ni le culte des reliques; aucune institution ne semble lui en imposer; d'une lucidité cynique, il dénude tous les problèmes pour les ramener aux termes matériels et réduit tous les conflits à quelques données primitives comme l'intérêt. Lucide jusqu'au cynisme, hardi jusqu'à la révolte, ironique jusqu'au sarcasme, froid et dénué de sentiment ou d'émotion, cet esprit doit être celui du trouvère qui écrit la pièce et peut-être en partie du public qui l'a inspiré.*

Mme Ungureanu refuse la personnalité littéraire à Adam de la Halle et voit dans le *Jeu* le résultat d'une sorte d'inspiration collective. On pourra trouver excessive cette réduction d'une œuvre d'art à des déterminations sociologiques. Mme Ungureanu pèche souvent par anachronisme. Écrire, même avec des réserves au bout de la plume, qu' « avec *la Feuillée*, on semble passer dans l'irréligion, voire même dans une sorte d'antireligion souriante », c'est accorder beaucoup à l'antimonachisme. La satire des moines, l'irrespect à l'égard des reliques peuvent paraître poussés un peu loin dans le *Jeu*. Il est certain que nous avons là une des visées de l'auteur. Mais n'oublions point que le sens du sacré n'était pas très commun au Moyen Age; l'Église déplorait assez l'excessive familiarité des fidèles à l'égard des lieux du culte et des objets sacrés. Les blasphèmes et les profanations commis à l'auberge sur le reliquaire ne sont pas le signe assuré de l'irréligion, à plus forte raison de l'antireligion, même souriante. Aurait-il, comme il le semble, mis en cause les vertus médicales de saint Acaire qu'Adam de la Halle ne pourrait pour autant être enrôlé sous la bannière de l'athéisme. Mme Ungureanu, élève de Lucien Febvre, aurait-elle oublié l'enseignement de son maître sur Rabelais? De même de l'antimonachisme : qui défendait les moines à la fin du XIIIe siècle? le clergé séculier? sûrement pas, pas plus que les intellectuels.

Mais, réservé à l'égard de la pointe extrême de la thèse de Mme Ungureanu, nous ne ferons pas nôtre pour autant l'interprétation de M. HENRI

ROUSSEL (Notes sur la littérature arrageoise au XIII^e siècle, *Revue des sciences humaines*, 1957) :

> *Le ridicule de la scène et la justification du bon tour joué au moine (à la fin de la pièce) ne viendraient-ils pas précisément de ce que tout le monde savait à Arras, en cette fin du XIII^e siècle, que les reliques du saint n'étaient pas promenées de ville en ville, mais qu'elles restaient en permanence à Haspres où l'on amenait les aliénés de toutes parts? Si une « cure à domicile » était chose impensable, il faudrait dès lors mettre le moine au rang des montreurs de fausses reliques dont Gautier de Coincy se moquait déjà au début du siècle.*

C'est là réduire le comique à bien peu de choses et affadir singulièrement une charge nettement antimonachique. Reste le problème des reliques : Adam de la Halle en a-t-il aux fausses reliques ou au culte des reliques en général? JOSEPH BEDIER, délaissant ce problème, avait mis en rapport la profanation des reliques de saint Acaire et la dévotion manifestée jusque dans les derniers vers au *fiertre nostre Dame;* il écrivait :

> *Ces reliques promenées, ce moine grotesque sous les quolibets et qui mendie pieusement, voilà l'un des mille témoignages de l'esprit à la fois anticlérical et dévot de ces bourgeois.*

Sur un autre point encore M^me Ungureanu justifie le reproche de manque de rigueur philologique, que lui fait M. Frappier. Elle voit dans *li Communs*, personnage épisodique du *Jeu* (il ne prononce qu'une seule réplique), l'incarnation du peuple d'Arras, De là à voir dans le *moie* proféré par lui une diatribe tronquée, autocensurée par Adam de la Halle, il n'y eut qu'un pas pour M^me Ungureanu. Mais *li Communs* ne comprenait sans doute que les spectateurs de la pièce; quant à *moie* il faut, à n'en pas douter, y voir une variante de « mugissement ». Nous n'en sommes que plus à l'aise pour attirer l'attention sur ce qui éclaire réellement *le Jeu de la feuillée* dans la thèse de M^me Ungureanu :

> *Les amis de* la Feuillée *n'appartiennent pas à la classe patricienne; au contraire, ils s'attaquent à cette caste dans la personne de ses représentants les plus connus, Ermenfroi Crespin, Jakemon Couchard, Jakemon Ponchin* [...]. *L'attitude politique de l'auteur est antipatricienne; le parti qu'il défend est vraisemblablement celui des bourgeois déchus ou moins riches que les patriciens qui possèdent le pouvoir et qui leur font une concurrence économique et politique irrésistible (p. 201). Quand on entreprend d'établir l'inventaire des idées exprimées ou latentes*

> *dans le* Jeu, *on est obligé de constater qu'elles ont, toutes, formes de critiques, d'accusations, bref, d'attitudes négatives. Les critiques concernent des affaires politiques et des questions morales. Politique, la satire vise les patriciens qui, se trouvant au sommet de la roue de Fortune, seigneurs de la ville sous la protection du comte d'Artois, abusent de leur pouvoir, au dommage de leurs concitoyens ; elle attaque l'autorité pontificale, accusée de partialité et de corruption ; notons que politique signifie ici surtout politique économique et financière ; si les patriciens sont blâmés, c'est surtout pour avoir appauvri leurs concitoyens ; l'explosion anticléricale et antipontificale de maître Henri est provoquée par une question financière ; la taille, les impôts, le tonlieu, le cens, voilà ce qui gêne le plus le public (p. 203).*

De même, M^me^ Ungureanu attire l'attention sur le courage que supposent de telles critiques. Le patriciat arrageois n'est rien moins que libéral, et il a de multiples moyens pour mettre à la raison un écrivain non conformiste.

Nous sommes cependant moins certain que M^me^ Ungureanu de ce que *le Jeu de la feuillée* exprime la protestation populaire contre les excès de la haute bourgeoisie. Le petit peuple nous semble absent de *la Feuillée*, sauf à se méprendre sur le sens à donner à *li Communs*. Le groupe social des clercs engagés dans le siècle et les affaires du siècle a pu constituer le milieu d'où est sorti *le Jeu de la feuillée*. Rappelons que Henri Guy, loin d'y voir une catégorie marginale et infime, en faisait une couche sociale nombreuse, constituée en groupe de pression. Elle touche finalement de très près au patriciat, c'est en son sein que se retrouvent les grands bourgeois déchus ou appauvris. Il y a gros à parier que ses prétentions à l'immunité fiscale, si elles l'opposaient à l'échevinat, ne durent guère lui attirer les faveurs du petit peuple. D'où peut-être l'absence de perspectives autres que chicanières, ouvertes devant ce groupe social. Absence de perspectives qui s'exprime à sa manière dans le vieux mythe de la roue de Fortune. La croyance en la fatalité et l'illusion de l'éternel retour trouvaient un terrain favorable dans les milieux sociaux condamnés par l'évolution historique.

Quoi qu'il en soit, l'importance de la critique sociale autorise à voir autre chose, dans *le Jeu de la feuillée*, qu' « *une sorte de revue d'étudiants (qu'est-ce après tout que cet Adam qui, bien que marié, veut s'en aller étudier à Paris?) avec comme fil directeur, du moins dans une bonne partie de la pièce, le thème de la folie* » (H. Roussel, article cité).

Mais, si Mme Ungureanu, effaçant la personnalité d'un auteur dont il ne lui semble pas assuré que ce soit Adam de la Halle, fait du *Jeu* « surtout une œuvre politique », M. ALFRED ADLER, dans un essai aussi récent que la thèse que nous venons d'étudier, y voit un document clinique sur un homme, une œuvre centrée sur la personnalité d'un écrivain en proie aux fantasmes.

L'étude de M. ALFRED ADLER (*Sens et Composition du « Jeu de la feuillée »*, Ann Arbor, *The University of Michigan Press*) se distingue, sur deux plans, de celles qui précèdent. Elle attribue au *Jeu de la feuillée* une cohérence qui lui est généralement refusée. Elle recherche cette cohérence au niveau du projet fondamental d'Adam de la Halle : *se reconnaître.* Dans cette perspective le récit des amours d'Adam, les scènes critiques, le spectacle de féerie, la scène de genre à l'auberge, acquièrent une unité qui traduit « l'esprit de cette pièce ».

M. Adler insiste sur le prologue en alexandrins. Il y voit le fondement même du *Jeu :*

> *Ces douze vers sont déclamés par Adam, Adam de la Halle, l'auteur du* Jeu, *qui entre en scène portant la cape des étudiants de Paris (v. 1-2). Il prend congé de ses concitoyens d'Arras. Marié, il a décidé de se séparer de sa femme, temporairement, pour reprendre ses études à Paris. Cette décision, on le verra, c'est l'amour pour sa femme qui l'avait empêché de la prendre* piech'a *(v. 3).* Cascuns, *dit-il*, puet revenir, ja tant n'iert encantés; Après grant maladie ensiut bien grans santés *(v. 7-8). Il est possible qu'il n'y ait là qu'une façon de parler par proverbes. Mais cela est peu probable, vu que le thème de maladie* (santés) *sera amplifié plus tard dans la scène où paraît* li fisisiens, *guérisseur assez incompétent, personnage qui, dans la pièce, nous entretient de la maladie et de la santé (v. 200-321). D'autre part, le thème de l'enchantement* (encantés - revenir) *sera développé par le moine, psychiatre plus ridicule même que ne pourrait le sembler* li fisisiens *à un médecin sérieux. Dans la pièce, ce moine prétend guérir les maladies mentales à l'aide de reliques (v. 322-556). De plus, cette* grant merveille de faerie *(v. 563), l'apparition de trois Dames (v. 590-875), n'est-elle pas une autre variation du thème de l'*enchantement? *La scène des Dames étant suivie de celle de la taverne où se produit, comme on verra, un désenchantement, il est permis de souligner que les deux vers du début (v. 7-8), loin d'être tout à fait gratuits, constituent peut-être une première indication précieuse de ce qu'il peut y*

> *avoir de cohérent dans la composition d'une pièce à laquelle on a eu tant de mal à en concéder (p. 1 et 2).*

« Se reconnaître », pour Adam, c'est retourner à la clergie. M. Adler nous invite à comprendre ce mot au sens large : c'est à la fois le vrai (le savoir, la métaphysique) et le beau (la poésie, les chansons). D'où vient que, par opposition à la clergie, *le Jeu de la feuillée* grouille de laideurs :

> *Pour ne pas se perdre dans les apparences* [...] *le poète peut même avoir recours au procédé littéraire de l'*enlaidir. *Dans le contexte des conceptions platoniciennes, « le laid est encore plus beau que le beau lui-même. Celui-ci nous enchaîne dans le monde sensible et éteint en nous le désir de la beauté parfaite; celui-là nous délivre de la grâce passagère en nous donnant la nostalgie de l'idéal dont le laid déchoit en aspirant »* (G. DE BRUYN). *Or*, la Feuillée *grouille de petits personnages laids d'une façon ou d'une autre, constituant un vrai répertoire de laideurs dans un cadre de satire locale très poussée, parfois cruelle. Et c'est bien là un point capital dans toute appréciation de ce texte... Étant donné cet état de choses, il est permis de supposer que, dans* la Feuillée, *le laid et le beau ne figurent pas juxtaposés comme par hasard, et sans relation de l'un avec l'autre. Platonisant un tant soit peu à en juger par ce qu'il dit au début de la pièce (v. 9-10), dans* le Congé, *et par ce que lui souhaitent les bonnes fées, si Adam finit la description de sa dame en insistant sur des détails de laideur (v. 153-174), c'est que peut-être il a « la nostalgie de l'idéal dont le laid déchoit en y aspirant » (p. 10 et 11).*

C'est donc pour *se reconnaître* qu'Adam voit les autres sous l'aspect de la laideur. Mais cette laideur ne laisse pas de l'inquiéter aussi, et à l'endroit sensible :

> *... Dame Douche, grosse illégitimement, est probablement un doublet enlaidi de sa propre femme que le poète est en train d'exposer aux vicissitudes de la ville. Dame Douche, un doublet de Maroie? Adam avait bien parlé de sa peur* ke [*sa*] feme engroisse *(v. 172). Riquier, un de ses compagnons, lui avait proposé :* Maistre! se vous le me laissiés, Ele me venroit bien a goust *(v. 175-176). Et Adam, non sans inquiétude :* Dieu pri ke il ne m'en meskieche *(v. 178) (p. 13).*

Avouons qu'ici M. Adler nous semble un peu solliciter le texte. Adam, au vers 172, craint de voir Maroie enceinte, certes, mais de ses œuvres à lui, Adam; c'est aussi pourquoi il veut « courre » à Paris, et, s'il ne souhaite pas voir Riquier jouir des charmes d'une Maroie en deshérence, c'est sans doute tout simplement par attachement pour elle. Afin d'en finir avec les erreurs de fait commises par M. Adler au bénéfice de sa thèse, corrigeons l'attribution qu'il fait au dervé du vers 425 : *Taisies pour les Dames.* C'est *li peres* qui prononce ce vers pour mettre fin (ou tenter de le faire) aux grossièretés de son fils.

Selon M. Adler, le dervé et son père sont des doublets d'Adam et du père d'Adam, « ombres macabres mettant en relief la destinée d'Adam vue dans l'esprit de la parodie dont le laid comique ne laisse pas d'avoir quelque chose d'inquiétant » (p. 20). Le long passage concernant les clercs bigames aurait, dans cette perspective, une autre portée que de critique locale. C'est pourquoi Adam est atteint par le reproche apparemment inconsidéré de bigamie que lui lance le dervé :

> *Adam est clerc de vocation, mais aussi l'époux d'une femme qu'il aime courtoisement. Or, métaphoriquement on parlait d'être l'amant de Clergie. En déclarant son intention de redevenir clerc, de* revenir, *Adam ne maintient-il pas qu'un clerc peut se remarier avec* Clergie? *Et, en se remariant de la sorte, n'épouse-t-il pas celle qu'il avait rendue veuve? et, remarié avec Clergie tout en restant l'époux de Maroie, n'est-il pas bigame dans un sens symbolique? N'y a-t-il pas de quoi « se souvenir » et, en se souvenant, d' « être moins orgueilleux »? Rentrant dans le cadre de la sotte chanson, le remariage d'un clerc avec Clergie serait une parodie du remariage qui d'un clerc ferait un bigame (p. 23).*

Du dervé aux fées, il y a « régénération sentimentale », l'enchantement soigné par l'enchantement lui-même.

> *Dans* la Feuillée, *les Dames sont annoncées à un moment où le monde d'un poète courtois semble menacé de sombrer dans le saugrenu de la sotte chanson (p. 28).*

Quel est le rôle de la taverne dans cette reconnaissance du poète par lui-même?

> *Les tavernes représentaient des exemples de la mauvaise vie. Mais d'autre part, le vin, le génie des tavernes, source de l'ivrognerie, était aussi celle de l'inspiration même religieuse* [...]. *S'il existe une relation entre la scène des Dames et celle de la taverne, c'est peut-être dans cet élément d'*ebrietas *inspirée qu'il faut la chercher* [...]. *La taverne serait-elle la* parodie *de la vraie inspiration? Les buveurs semblent en vouloir à Adam de ne plus se plaire dans ce milieu* [...]. *Si l'on ne se résigne pas à voir dans* la Feuillée *une série de tableaux sans rapports, si*

> *l'on maintient que, la pièce étant donnée comme une, il faut des rapports entre les parties qui constituent cette unité, il n'y a qu'une seule conclusion à tirer : la taverne est le* laid *du* beau *évoqué par les Dames. Voué à* se reconnaître, *si, à travers les scènes du* fisisien *et du moine, Adam s'est engagé dans le laid, c'est grâce aux Dames qu'il a reconnu la vraie inspiration, et c'est là une* grâce *qu'on ne peut pas se fabriquer soi-même en se versant du vin d'Auxerre (p. 36-37).*

Et M. Adler conclut :

> *Choisissons de comprendre ces tableaux comme une glose de* S'est drois ke je me reconnoisse *(v. 171) ; tout se tient : un poète dont les tendances courtoises se révèlent jusque dans sa manière de se servir de titre de respect, et qui aspire à l'idéal platonicien selon lequel le poète et le sage ne font qu'un (p. 38).*

Comment la critique universitaire a-t-elle accueilli cet essai qui fait largement, plus largement que ces extraits ne le laissent apparaître, appel à la psychanalyse? Jean Frappier a écrit (ouvrage cité) :

> *Ce qu'il entre de cauchemar dans* le Jeu de la feuillée, *les hantises d'Adam, ou, si l'on veut, ses complexes plus ou moins refoulés qui se trahissent dans la structure de la pièce et l'invention de certains personnages, voilà surtout ce qu'à mon avis, Alfred Adler est parvenu à déterminer. Je lui sais gré notamment de rendre plausibles et même logiques (bien entendu il s'agit de logique affective) des personnages énigmatiques, tels que Dame Douche, Walet le sot et le Dervé.*

Les « lectures » de Mme Ungureanu et de M. Adler sont très différentes. Elles ont ceci de commun cependant de ne point faire du *Jeu* une pièce rose, ou simplement une pièce rosse comme cela a été la tendance au XIXe siècle. Le désenchantement, le pessimisme même nous sont aujourd'hui plus sensibles que la bonne et grosse gaieté picarde, la truculence qui plaisaient tant aux lecteurs du siècle dernier. Le *Jeu* est une pièce où nous sentons un malaise : malaise d'un homme ou malaise d'une société?

> *Dans cette pièce, Adam, le meilleur musicien et poète lyrique de son temps, a voulu mettre sur la scène, en quelque sorte, ses illusions perdues et les amertumes que lui laissent au cœur le spectacle du monde mesquin où il vit et le monde du rêve, non moins désenchanteur en définitive. Parmi ce qu'il présente comme des illusions perdues, il y a l'amour, il y a aussi sa femme Marie* (YVES LEFEVRE, *Histoire mondiale de la femme*).

# TABLE DES MATIÈRES



---


Imprimé en France

BERGER-LEVRAULT, NANCY. - 778749-1-77. - Dépôt légal : 1er trim. 197